Sheil

June '83

Nice

QUI J'OSE AIMER

Né en 1911 à Angers (Maine-et-Loire), Hervé Bazin est élevé par sa grand-mère; il connaîtra tardivement ses parents. Après des études mouvementées (six collèges), on l'inscrit à la Faculté catholique de droit d'Angers, mais il la quitte, se brouille avec les siens, « monte » à Paris où il fait une licence de lettres en travaillant pour vivre et commence à écrire.
Journaliste (L'Echo de Paris), *critique littéraire* (L'Information), *il publie d'abord des poèmes qui lui vaudront le prix Apollinaire, mais la notoriété lui vient avec son premier roman* Vipère au poing *qui connaît un succès immédiat et considérable.*
Depuis lors, ses ouvrages — notamment La Tête contre les murs, Qui j'ose aimer, Le Matrimoine, Au nom du fils, Madame Ex — *recueillent l'audience d'un vaste public, tant en France qu'à l'étranger.*
Proclamé en 1955 « le meilleur romancier des dix dernières années », lauréat en 1957 du Grand Prix littéraire de Monaco, Hervé Bazin, membre de l'Académie Goncourt depuis 1958, en est actuellement le président.

Un vieux domaine au bord de l'Erdre dont les eaux s'attardent dans le marais des berges avant de filer vers Nantes, telle est la Fouve où Isa, dix-huit ans, a toujours vécu et qu'elle pense ne jamais quitter, n'envisageant l'avenir qu'entre sa mère Isabelle, sa sœur cadette Berthe et Nat, la vieille servante.
L'annonce que sa mère a épousé l'avocat Maurice Méliset — un remariage car elle est divorcée — cabre les siens, au nom de principes religieux restés très vifs dans ce coin de pays breton. Pour Isa s'y mêle la jalousie d'un cœur exclusif qui n'admet pas le partage.
Oui, on lui fera la réception qu'il mérite, ce beau-père. Nat et Isa s'y apprêtent. Maurice n'a donc pas la partie facile : d'autant plus que sa femme tombe malade le jour même de son arrivée. D'escarmouches en trêves, Isa découvre que l'adversaire n'est ni laid ni haïssable et la nuit venteuse qui les jette dans les bras l'un de l'autre pourrait changer sa vie si elle n'était pas de ceux qui ont « une main de lierre », si la Fouve n'avait pas sur elle une telle emprise — la Fouve qui est au centre de ce roman poétique, amer et puissant où éclate dans le plein de sa maturité le talent d'Hervé Bazin, reprenant ici en somme (mais à l'envers) un thème classique : celui de Phèdre.

ŒUVRES DE HERVÉ BAZIN

Dans Le Livre de Poche :

VIPÈRE AU POING.
LA TÊTE CONTRE LES MURS.
LA MORT DU PETIT CHEVAL.
LÈVE-TOI ET MARCHE.
L'HUILE SUR LE FEU.
AU NOM DU FILS.
CHAPEAU BAS.
LE MATRIMOINE.
LE BUREAU DES MARIAGES.
LES BIENHEUREUX DE LA DÉSOLATION.
CRI DE LA CHOUETTE.
MADAME EX.

HERVÉ BAZIN

Qui j'ose aimer

ROMAN

BERNARD GRASSET

pour GERARD BAUER

I

BERTHE n'apercevait rien, vous pensez bien : elle est myope, aussi. Les pieds prudemment posés à un mètre du bord, les mains sur le ventre et se triturant l'une l'autre, elle dodelinait de la tête, elle plissait les yeux, elle faisait de grands efforts pour sembler intéressée, en murmurant comme d'habitude :

« Tu crois, Isa ? Tu crois ? »

Je ne croyais rien. J'avais des yeux pour voir et je les voyais très bien tous les deux, là, au fond de l'Erdre, sous le treillage de la nasse : un long qui s'effilait, immobile, le nez sur les ardillons du goulot et un rond qui tournait frénétiquement, dans tous les sens, avec des miroitements mordorés ; compère Brochet et commère la Tanche, la seconde assez grosse pour ne pas m'être livrée dans le ventre du premier, mais apparemment très effrayée du voisinage. Quant à la nasse, je la reconnaissais bien aussi, à son volume, à la forme de ses mailles : seul, M. Ténor en avait de ce modèle, et comme durant les vacances, chaque matin, vers onze heures, on le voyait godiller de place en place sur son sabot vert, il valait mieux faire vite si nous voulions lui économiser le beurre.

« Fait froid, Isa ? Fait froid ! » fit Berthe, en me voyant porter la main au col de mon pull.

Il ne faisait pas chaud, certes. Les sauges tenaient ; l'iris jaune brûlait encore parmi les cannes, à peine rouillées, à peine secouées par ces coups d'air qui prennent les roselières à rebrousse-poil. Mais le ciel avait un mois d'avance, noyait le soleil dans les gris fluides d'un automne précoce, à court de feuilles et d'oiseaux. Trop fraîche, cette eau, ni courante ni dormante, qui ne sentait plus la vase et remontait, encore un peu crémeuse et repoussant doucement la cannetille sur la berge ! Trop fraîche pour plonger. Mais comment faire autrement ? Je n'avais pas de croc et d'ailleurs, la nasse était trop loin. Nous ne pouvions tout de même pas rater l'occasion de jouer un tour à l'ennemi et d'enrichir les menus de Nathalie, un peu trop portée sur les patates... Allons ! Le pull me jaillit des bras, ma jupe glissa, la combinaison suivit, aussitôt rejointe par ce soutien-gorge qui, du reste, n'avait jamais eu l'occasion de soutenir grand-chose depuis que, devenu trop petit pour maman, il avait repris du service en devenant trop grand pour moi. Frissonnante et les paumes sur les seins, j'hésitai avant d'enlever ma très blanche culotte. Mais la garder compliquait bien les choses ; elle n'aurait pas le temps de sécher avant le déjeuner. Derrière nous il n'y avait après tout qu'un jardin clos et, en face, de l'autre côté des chenaux, des îles, du bras canalisé, rien d'autre que le marais prolongé par l'immense prairie basse de La Glauquaie, déserte à l'infini. sans berger, sans vache et sans chien.

« Et tes cheveux ! Tes cheveux ! » protesta ma sœur, dans mon dos.

Tant pis ! La culotte venait de tomber ; mes chevilles, frottées l'une contre l'autre, se débarrassaient des souliers et, d'une vive détente, expédiaient dans la rivière, pour l'y rhabiller d'écume, ce corps qui ne m'inquiétait pas, mais dont l'eau indiscrète, durant unc fraction de seconde, me renvoya l'image, d'un rose sourd secrètement touché de sombre aux racines des membres.

Tout compte fait elle était supportable, cette eau, elle ne m'avait pas trop saisie, et filant sur ma lancée, je m'enfonçais en cisaillant des jambes comme la grenouille en fuite. Mais l'endroit était dangereux, encombré de sagittaires, de renoncules à demi flottantes. Le long cordeau gluant d'un nénuphar s'enroula autour de mon cou : je dus le couper d'un coup de dent. Puis un banc d'algues de fond me caressa le ventre d'une façon si inattendue que, surprise, je me retournai comme une carpe. Quand j'atteignis enfin la nasse, trop lestée, j'étais à bout de respiration ; je ne pus la déplacer que de quelques centimètres et, presque aussitôt, n'y tenant plus, je donnai un coup de talon pour remonter à l'air.

J'émergeai, soufflant par le nez, crachouillant une eau qui sentait le roui. La rive, vue de dessous, semblait avoir grandi et prêtait un socle à la raideur de Berthe, vraie statue de l'inquiétude. Elle ne bougeait pas un cil, la bonne gourde ! Elle gloussait seulement des : « Viens ! Viens donc ! » avec une constance de poule qui rappelle son canard. Elle ajouta même : « Il pleut ! » argument si comique, si digne de Gribouille que j'éclatai de rire. C'était vrai, d'ailleurs : il volait des gouttes ; l'Erdre était constellée de ces petits ronds que, plus jeune, j'appelais des « enfants de pluie », en les opposant aux « enfants de soleil », à ces milliers de ronds de lumières que les grands midis de juin effeuillent sous les arbres.

J'allais replonger quand soudain Berthe tressaillit, se détourna. Un cri de souris, un bond et elle filait en serrant ses jupes, elle disparaissait derrière la haie fruitière ! Et je ne fus nullement étonnée d'apercevoir, marchant d'un grand pas qui donnait dans ses cottes, une Nathalie empesée d'indignation, raide comme sa coiffe bigouden qu'elle abritait sous un grand parapluie, tenu très haut, presque à bout de bras, de peur de froisser ce précieux tuyau blanc posé sur son gros chignon gris. En dix secondes elle fut sur la berge. Je la vis rouler des yeux de faïence, pointer vers mon petit tas de linge un gros index à l'ongle épais et, l'oreille au ras de l'eau, je pus entendre un beau début d'algarade :

« Joseph ! Se mettre à l'eau par un temps pareil, quand on va être indisposée... Joseph ! Si ta mère te voyait... »

La suite ne put traverser les deux mètres d'eau que j'avais mis entre nous et quand je réapparus, après avoir poussé la nasse plus près de la rive, à un endroit où l'on pouvait avoir pied, je retrouvai une Nathalie muette, cassée en deux, visiblement peu rassurée par ce qu'elle savait de mes talents de sirène. Mais je n'avais pas la moitié du nez dehors qu'elle recommençait à vociférer :

« Et toute nue, Joseph ! Toute nue ! Si c'est pas une honte, à dix-huit ans... »

Disons-le en passant : *Joseph,* pour Nathalie, c'est une interjection vague, où maman voyait un reste du Jésus-Marie-Joseph classique, abrégé en J.M.J. sur les cahiers de l'école des sœurs. Pour ma part j'y flairais plutôt le souvenir d'un époux très lointain, mais assez détestable pour que son nom, un demi-siècle plus tard, pût encore sonner comme un cri de reproche. Quoi qu'il en soit, les *Joseph !* de Nathalie étaient toujours de mauvais augure et réclamaient d'immédiats apaisements. D'une main prompte, accoutumée à cet exercice, je décrochai la porte de la nasse pour saisir la tanche aux ouïes et l'expédier à la volée. Elle décrivit dans l'air un demi-cercle d'or et tomba aux pieds mêmes de Nathalie qui interrompit net sa diatribe pour grommeler avec un intérêt mal dissimulé :

« Une tanche ! Ça pue la vase... »

Mais le brochet, rejoignant sa commère, l'amollit tout à fait.

« Sssss ! siffla-t-elle. Il pèse bien ses deux livres. »

Ses paupières churent, décentes, sur un regard concupiscent. Elle ajouta, dans un souffle précipité :

« Surtout, remets bien la nasse à sa place. »

☆

Elle y était déjà. Et je fus très vite sur la berge, les pieds dans mes souliers, les hanches sous ma culotte, tandis que Nathalie, tenant toujours son parapluie d'une main, freinait ma hâte en me torchonnant le dos de la main gauche avec son tablier. Elle bougonnait encore, par principe, par dignité pure, mais ne haussait qu'une épaule et surveillait soigneusement son poisson. Le brochet, bâillant à peine, mourait silencieusement avec cet air impérial des grands carnassiers qui ont assez vécu de la mort pour ne pas s'indigner de la leur. Mais la tanche donnait de furieux coups de queue, s'écaillait dans l'herbe. Par prudence, Nathalie mit le talon dessus ; puis, abandonnant mon dos, elle se baissa pour la ramasser et l'enfouir dans cette grande poche qu'elle avait sur le ventre, comme les sarigues, et que gonflait d'ordinaire un mélange de bouts de ficelle, de papier de soie, de recettes découpées dans *Ouest-France*, de graines et de petits ustensiles.

« Presse, presse, dit-elle soudain, on barbouille là-bas. »

Barbouille, pour *barbote,* par attraction culinaire de « bouillir » sans doute, ça faïsait partie de son vocabulaire. Un coup d'œil pardessus les saules ne m'apprit rien. Le bruit ressemblait plutôt à celui que fait la poule d'eau en balade parmi les joncs. Néanmoins je rougis très fort. Chemise, combinaison, jupe sur le bas, pull sur le haut, en quatre mouvements, quatre secondes, tout fut remis en place. Nathalie avait aussi ramassé le brochet et remontait la pente, vers la maison. Je la rattrapai à la hauteur du cormier, l'arbre-fétiche, à demi écorcé à la base par l'habitude que nous conservions d'y inscrire nos tailles successives et les cotes des inondations. Nathalie fit une pause avant d'attaquer le raidillon final, cruel pour son cœur, m'attira sous le parapluie et dit simplement, en regardant l'arbre :

« T'as grandi. »

Puis, sans craindre le coq-à-l'âne :

« Je vous ferais bien un beurre blanc, mais dame ! le beurre d'ici, c'est de la vraie margarine... »

Elle se tut, tendit la bonne oreille. Ce battement, c'était celui du portillon ; cette Madelon — qui nous servit à boire — c'était le sifflotement du facteur réenfourchant son vélo. Presque aussitôt, derrière les branches, de pêcher en poirier, passa la robe beige de Berthe, biche trop grasse aux galops cassés. Elle avait déjà oublié où nous étions, elle nous cherchait au hasard en piaulant :

« Une lettre de Maman ! Une lettre de Maman ! Une lettre... »

Enfin elle aperçut le bigouden et crocheta vers nous.

« Une lettre de Maman ! » répéta-t-elle à trois pas, fière de pouvoir épeler : « Pour Mada-me Na-tha-lie Mé-ria-dec ! »

« Donne ! » fit rudement l'intéressée, en lui arrachant l'enveloppe que la bruine mouchetait de taches bleuâtres et que Nat trouva moyen de décacheter sans cesser de brandir à la bonne altitude son précieux parapluie.

La lettre fut éloignée, rapprochée, éloignée

de nouveau, à bonne distance d'une presbytie sans lunettes, puis le déchiffrage commença, silencieusement secondé par les lèvres. Et, tout de suite, je vis se froncer les sourcils de Nathalie. Elle les fronçait régulièrement, depuis trois semaines, à chaque lettre « personnelle » expédiée de La Bernerie où Maman prenait, sans nous, des vacances. Cette fois, les nouvelles devaient être plus graves, devaient annoncer ce dénouement que nous redoutions toutes, depuis des mois, sans en parler jamais. Le parapluie se mit à glisser. Comme Nathalie, tournant très légèrement la tête, attaquait la seconde page, il descendit encore. A la troisième, il tomba tout à fait, s'affaisa sur la coiffe comme un champignon sur son pied.

« C'est pas Dieu possible ! » murmura Nathalie.

Et brusquement, écartant le parapluie, le poussant devant elle comme un bouclier, elle franchit le raidillon, fonça par l'allée d'œillets vers la maison, dont l'averse ravivait les tuiles et battait les vignes vierges. A la porte elle ne se décrotta même pas les pieds. Quelque chose gargouillait dans sa gorge comme dans les gouttières : quelque chose qui parvint enfin à s'organiser en phrases, tandis que, traînant des semelles boueuses sur le dallage sacré de la cuisine, elle repliait son pépin et retirait les poissons de sa poche pour les lancer sur l'évier.

« Il faut que je vous dise, les petites !...

Votre maman rentre après-demain. Elle m'annonce aussi qu'elle a pris une décision. J'en conclus qu'elle va... »

Les yeux lui sortaient de la tête, mais la nouvelle ne parvenait pas à lui sortir de la bouche. Elle regarda l'heure au cartel, je ne sais pourquoi. Elle regarda Berthe, qui faisait « oh ! », qui faisait « ah ! », qui s'engloutissait dans son sourire. Elle me regarda surtout, moi, avec une insistance proche de la complicité, avala sa salive et me jeta au nez :

« Enfin quoi ! Elle va se remarier.

— Se remarier ? fit Berthe, incrédule et bonasse.

— Elle est divorcée, elle peut, jeta Nathalie. Malheureusement, elle peut ! Dieu défend, mais la loi permet. La jolie loi !... »

Se retournant d'une pièce, elle empoigna le tisonnier, fit voler les trois rondelles de la cuisinière et, sans nécessité apparente, se mit à gratter ses boulets. Farouche, elle serrait les dents pour n'en pas dire plus. Mais elle n'y put résister, elle étouffait dans son corsage, il lui fallait absolument s'en prendre à quelqu'un et, Dieu merci, elle s'en prit à nous :

« Passe donc la bâche, Berthe, cria-t-elle. Et toi, Isa, au lieu de bâiller, tu ne peux pas vider le poisson ? »

Je passai devant elle, comme une ombre. Alors, elle ajouta très vite, à mi-voix :

« Tu t'en doutais bien, toi ? Tu sais de qui

je parle ?... Joseph ! Elle va épouser son samedi. »

La saveur de l'expression ne me fit pas rire. Sans mot dire, je me rapprochais de l'évier : ce bel évier blanc qu'avait sept ans plus tôt fait poser grand-mère pour remplacer l'évier de grès des anciens temps. Le couteau de cuisine très pointu, très affilé, qu'affectionne Nathalie, traînait sur la paillasse. Je le saisis et, d'un coup sec, j'éventrai le brochet d'où sortit un petit gardon.

II

AUTANT l'avouer tout de suite, je suis rousse et j'ai reçu comme un coup de fusil en pleine figure. Disgrâce qui me rend sensible à la moindre allusion ! Si j'ai osé discuter sa béchamelle, Nathalie sait comment se venger. Elle n'a qu'à dire :

« Evidemment ! Toi, tu préfères le son à la farine. »

Et, à ce moment-là, je l'aime, vous pouvez m'en croire ! Car les « éphélides » ne vous gâchent pas que la peau. A huit ans, sur les bancs de la petite classe, je l'avais déjà remarqué : il est bien moins grave de faire des taches sur son cahier que d'en avoir sur la figure.

Ceci dit, je ne crois pas avoir à me plaindre de la nature qui n'a pas trop lésiné sur le reste.

J'ai un peu de muscle ; de la caboche aussi ; et de la santé, à telle enseigne que je ne me souviens pas de m'être jamais servi d'un thermomètre, ni même d'avoir eu à soigner un mal blanc. Bonne liste, comme vous voyez, et que par gratitude envers mes fées il faudrait peut-être compléter en parlant de mes yeux verts, bien qu'ils aient le cil un peu brûlé, de mes chevilles minces, dont je suis assez faraude et surtout de ce grand goût de vivre qui vous fait gourmande de partout, de cette passion d'être qui vous enchante l'haleine, qui rend sensible à chaque instant l'entrée de l'air dans vos poumons. Je ne suis pas vieille, certes, mais je me suis souvent demandé comment je pourrais l'être un jour. Je me le demande encore. Je suis *née jeune* et, s'il le faut, je mourrai volontiers avant l'âge, pour le rester.

Cette jeunesse-là, pourtant, n'a jamais connu qu'une vieille maison. Je n'en rêve pas d'autres, je ne comprends même pas ces bâtisses neuves aux angles durs, aux crépis crus, aux jardins composés, plantés d'arbres qui ne vivent que de terreau et n'ont pas de souvenir au pied. Notre maison à nous, La Fouve, c'était, c'est encore, à dix kilomètres de Nantes, entre La Chapelle et Carquefou, une *demeure*. J'y suis née, ma mère aussi et ma grand-mère. Un aïeul s'était installé là au lendemain de la guerre de Vendée, sur « un terrain de curé » acquis lors de la vente des biens nationaux et dont l'achat avait bourrelé de remords trois générations de Madiault, jusqu'à ce que l'oubli, l'habitude, la persistance d'une suffisante fortune leur aient permis de se classer parmi les honorables familles du coin. Depuis l'Empire, La Fouve — primitivement un simple rectangle de tuf chapeauté d'ardoise — a d'ailleurs beaucoup changé. « Elle a battu des ailes », comme disait grand-mère, en désignant de son nez triste les petits toits bas qui la prolongent sur les côtés et lui donnent l'allure d'une poule à cou nu (le cou nu, c'est la cheminée) réchauffant ses poussins. Il lui est même venu une espèce de queue, pas très heureuse, sous la forme de cet appentis de brique où trône le cuveau des lessives. Le tout, disparate, trouve son unité dans la patine, sous cette vigne vierge jamais lasse d'assaillir les gouttières et qui, l'hiver venu, enveloppe encore les murs et les nourrit d'un grand réseau de veines.

Parfait symbole ! Pourtant cette maison a perdu, depuis longtemps, son autre réseau, ce vicinal empire de chemins et de sentiers qui se ramifiaient sur cent *journaux* de terre. Le domaine de jadis, passé comme tant d'autres à ses fermiers, a fait peau de chagrin. Il n'en reste que ce petit parc disposé en demi-cercle au bord de la rivière : à peine un hectare en tout dont un quart pour un « potager » d'herbe et le reste en taillis et ronciers où les coupes n'ont laissé que de rares intouchables, de longs sapins solitaires qui se lancent et, les jours de norois, se balancent dans le ciel brouillé et parfois même un peu souillé, là-bas, au loin, du côté de la grande ville qui fume.

Rien d'autre, sauf un châtaignier foudroyé, un cerisier suant ses gommes et une ceinture de lilas gagnant sans cesse sur une pelouse dont l'herbe folle étouffe une dernière jonquille, une dernière taille de rosier retournant à l'églantine. Le sauvage, ici, l'emporte sur le domestique et c'est encore plus vrai si l'on change de règne pour trouver un chat furtif, quelques volailles qui pondent sous les buissons et, partout ailleurs, les fuyants, les nomades, ceux qui passent par-dessus ou par-dessous : tous les oiseaux, tous les insectes et, d'aventure, un écureuil qui file aux noix, une belette qui rampe aux œufs, un gamin qui monte aux nids.

Et un homme qui vient à nous. Car La Fouve, depuis un demi-siècle, c'est une maison de femmes à qui des maris fragiles ou inconstants n'ont su faire, en passant, que des filles. Tout l'indique : ce jardin même, mal défendu par des mains trop douces ; ces gonds rouillés, ces peintures qui s'écaillent faute d'un bon bricoleur ; tout cet extérieur à l'abandon, qui contraste avec un intérieur fleurant l'encaustique, où s'allument des cuivres posés sur des meubles anciens qui miroitent par-devant et moisissent par-derrière en attendant la poigne capable de les déplacer.

Ces femmes, celles que j'ai connues du moins, auront été cinq, dont trois vivantes. J'ai perdu tôt ma grand-mère, la dernière Madiault, orpheline à vingt ans, veuve à vingt-deux d'un avocat stagiaire au barreau de Nantes. Tué sur la Marne, il avait tout juste eu le temps de lui faire une enfant posthume : ma mère, Isabelle Goudart. Grand-mère devait mourir pendant l'autre guerre, d'un cancer mal placé qui lui interdisait de s'asseoir. Je m'en souviens comme on se souvient d'une photo ; je ne l'ai jamais vue qu'en noir et blanc. Accrochée à sa pension, à son chapelet, à la mémoire de son héros, elle vivait debout, sèche, solennellement maigre et soupirant de fatigue autour de son fauteuil de la « salle », sous le cadre fleuri de tricolore où l'on voit un petit sergent de chasseurs en uniforme de fantaisie, si blond, si coquet qu'il a vraiment du mal à faire figure de grand-père. Bien qu'elle eût l'apparence de son rôle, grand-mère ne l'exerçait d'ailleurs pas mieux. Veuve professionnelle, elle ne s'occupait jamais de rien dans la maison ; elle abandonnait tout, le ménage, la cuisine, l'autorité même à Nathalie, autre veuve, dont le dévouement lui semblait d'ailleurs moins précieux que l'inestimable référence d'avoir connu mon grand-père. Elle n'intervenait qu'en qualité de pleureuse : lors des visites au cimetière ou des messes de fondation. Nous l'aimions bien, car elle était distraitement bonne ; mais sa mort, qui fut pour elle une délivrance, le fut aussi pour nous. Sa seule présence nous faisait honte de nos rires, de nos jeux, à quoi elle opposait de silencieux tricotages, des regards voilés, ou seulement ce langoureux port de tête, ce fléchissement du cou sur le côté gauche qui lui donnait l'air de toujours écouter son cœur. Dois-je le dire ? Longtemps j'ai espéré ne rien tenir d'elle et jc lui en veux aujourd'hui d'en être moins sûre, de me rappeler le romantisme agaçant, le petit coup d'arrière-glotte avec lequel elle murmurait, parfois, en m'écartant les doigts :

« La main de lierre, Isabelle ! Toi aussi... »

☆

Il faut croire que Maman ne l'avait pas, elle. Mais pour l'en blâmer, je comprends trop bien ce que dut être son enfance, écrasée par un deuil que grand-mère entendait porter comme on porte son nom : jusqu'à la fin. Ce qu'il y avait d'excessif et même de *déplacé* (le mot est de Maman) dans cette attitude dut lui sembler très tôt insupportable. Elle m'a avoué elle-même qu'elle en était arrivée un moment à détester son père, cet inconnu, qui lui prenait tout ; à mettre en accusation la fidélité, l'amour mêmes, capables de pousser une vie dans de telles impasses. Bien plus Goudart que Madiault, citadine d'instinct, elle n'avait au surplus que peu de goût pour La Fouve et sautait sur toutes les occasions d'aller voir ses grands-parents, à Nantes. A douze ans, elle profitait de sa situation de pupille de la nation pour entrer au lycée. A dix-sept ans, ayant raté son bachot et perdu sa bourse, elle se jetait dans le mariage.

« Pour ne pas rentrer à la baraque ! devait-elle m'avouer un soir de confidence. Il a suffi que ton père se présente. Le hasard... »

Le hasard ne manquait pas d'ironie ! Il avait désigné André Duplon, jeune percepteur de trente ans, qui fut presque aussitôt nommé à Carquefou et vint habiter... La Fouve, si proche de son travail ! Une vraie trahison que Maman ne devait jamais lui pardonner ! Je naquis. Berthe suivit, dont on sut très vite qu'elle ne serait pas normale et qui devint un vivant grief, une sorte de disputes où chacun reprochait à l'autre de lui avoir caché quelque tare secrète.

Trois ans passèrent tout de même. Puis la guerre survint et Papa disparut dans la Warndt. On l'encadra, à côté du grand-père ; il eut droit au ruban tricolore, lui aussi. Mais les mouches n'eurent pas le temps d'en ternir la gloire. Un an plus tard, après la débâcle, Papa donnait l'adresse de son Stalag. Signe des temps pour ma grand-mère : il n'était pas mort, il s'était rendu ! Nous n'avions pas un héros mais un captif, qui réclamait des colis. Il en reçut trois ou quatre ; puis, casé dans une ferme bavaroise, fut déclaré « plus heureux que nous ». Quand il rentra, grand-mère était morte, les grands-parents Duplon également et La Fouve dépouillée de ses plus beaux arbres qui nous avaient permis de survivre, avec de vagues travaux de couture et des « avances » de Nathalie, bien plus riche que nous depuis la mort de ses parents et la vente de leur fermette, à Pont-l'Abbé. J'avais onze ans et je reconnaissais à peine ce quadragénaire aux bras hésitants, dont le regard passait de ma tignasse rousse au sourire béant de Berthe pour aller buter sur le visage de marbre de Maman. Il n'y eut pas de scène, mais le soir il coucha dans la mansarde, abusivement baptisée « chambre d'ami » qu'à plusieurs reprises avaient réquisitionnée les Allemands, puis les Américains, parmi lesquels Maman s'était choisi deux filleuls de guerre. Que se passa-t-il exactement ? Je n'en sais rien. Toujours est-il que le surlendemain mon père s'éloignait après nous avoir sommairement posé sa petite moustache grise sur le front et murmuré d'un air benoît :

« A bientôt, mes enfants ! »

Nous ne devions jamais le revoir. On parla, en termes feutrés, de séparation à l'amiable. Des mois durant, Maman reçut des lettres de l'avoué, se débattit dans la paperasse. Puis elle commença, chaque fin de mois, à pester contre ce « maudit mandat » qui n'arrivait pas. Et petit à petit, par recoupements, en interprétant certains hochements de tête du vicaire-instructeur, je compris que la séparation de mes parents était en réalité un divorce. Pour apaiser les bonnes âmes, Maman conserva son alliance, demeura « Madame Duplon » chez l'épicière comme à la cure. Ce qui n'était pas tout à fait faux, malgré le remariage de Papa avec une Algéroise (que nous appelâmes immédiatement « Madame Bis »), car notre existence même dépendait de la pension versée par M. Duplon, nommé à Tlemcen, d'où il nous envoyait aussi, chaque Noël, la même boîte de dattes fourrées accompagnée de la même formule :

Bons vœux de Papa, qui pense à vous.

Cette formule, j'étais chargée de la lui retourner, poliment, sur carte postale saupoudrée de fausse neige :

Bons vœux de vos petites filles qui pensent à vous.

En fait, nous croquions scs dattes ; nous gardions sa boîte, propice aux élevages d'araignées ; et nous ne pensions plus à lui. Son absence ne me gênait guère. Je n'enviais pas les familles complètes de mes camarades, chamaillées par des potentats en veston. Le matriarcat de La Fouve, cet univers de nonettes mâtinées d'amazone, me semblait une oasis. Vite avertie, comme toutes les petites villageoises, je n'étais pas loin de mettre dans le même sac l'homme, le matou, le père lapin, le coq qui ne pond pas, le bourdon d'abeille qui ne fait pas de miel, le taureau qui ne donne pas de lait. Personnages épisodiques que tout cela ! Un peu inutiles. Un peu dégoutants aussi : la lippe de Nathalie, durant certaines absences de Maman, déguisées en courses, en livraisons de couture, sut me le confirmer.

Que dire de plus ? Que nous aimions pardessus tout cette femme du genre « T'es belle et tu sens bon », peut-être plus attendrissante que tendre et trop habile à s'envelopper de nous ?... Vous l'avez deviné ! L'amour s'offre, comme il est, a ses choix, qui sont ce qu'ils sont.

Cette passion, Berthe la reléchait, s'y roulait comme un caniche. La piété virulente de Nathalie la hérissait de principes, l'écorchait de reproches. Quant à moi, si mon indépendance la voulait désinvolte, elle ne la rendait que plus ombrageuse. Rien de plus étroit que ma géographie sentimentale ! Département de *La Fouve,* chef-lieu *Maman,* sous-préfectures *Berthe* et *Nathalie.* Le reste, c'était l'étranger. A telle enseigne qu'une fois mon brevet en poche, je n'avais pu me résigner à continuer mes études. Notre pauvreté me servit de prétexte. En fait je me sentais incapable d'entrer en pension, de vivre autre chose que cette existence partagée entre une rivière, une machine à coudre, un banc de messe tapissé de vieux velours et cette place dont je n'usais guère, mais qui restait réservée à ma tempe, près d'une épaule un peu grasse, à l'endroit où les femmes se touchent de parfum.

III

VERS onze heures, l'inquiétude, puis les cris, puis les courts envols des effarvattes, reculant devant l'intrus de roseau en roseau, dénoncèrent son approche. Presque aussitôt je reconnus les bruits familiers : ce léger clapotis qui gonfle l'herbe et va sucer la vase des bords, ce goutte-à-goutte des rames qui replongent, ce froissement d'eau déchirée par l'avance d'un bateau dont la coque tinte sourdement en touchant quelque branche noyée. Enfin deux ombres chinoises glissèrent à fleur d'oseraie, entre les grimaçants têtards rasés de frais par les vaniers.

Deux, dis-je. J'avais eu raison. La route pouvait poudroyer et ses haies verdoyer ! Nat et Berthe, qui surveillaient le portillon, ne verraient rien venir. Mon instinct ne m'avait pas trompée qui, les chambres faites et la robe de Mlle Martinelle dûment piquée, m'avait expédiée à la motte du cormier, d'où l'on peut dominer le marais et voir, à coup sûr, ce qui se passe du côté de La Glauquaie. De La Bernerie, « ils » avaient certainement filé sur Carquefou. Puisqu'ils nous avaient en somme annoncé leur mariage, à nous, les filles, bien obligées de les subir, il était facile de deviner qu'ils se trouvaient obligés d'en faire très poliment part au seigneur d'en face, plus difficile à manier et qui se trouvait précisément en vacances sur ses terres. Et Maman, escortée par son chevalier, rentrait par la rivière, une fois de plus obligée de me trahir.

☆

Expliquons-nous. La Glauquaie, séparée de nous par l'Erdre, ses tourbières, ses prés rongés de petit jonc, c'était un peu la réplique de La Fouve, mais à l'envers : une maison de mâles, habitée par deux hommes, le gros Ténor et son Ténorino. Je veux dire : maître Méliset senior, membre du Conseil de l'ordre, et maître Méliset junior, Maurice pour ses intimes, robin comme son père et comme lui avocat des conserveries nantaises.

« Ça plaide pour la sardine, le sucre et le petit beurre ! » disait Nathalie qui depuis des mois, par représailles, achetait du Say ou de l'Olida.

Inutile, maintenant, d'expliquer les surnoms.

Mais ajoutons que La Glauquaie, bâtie contre la ferme du même nom, n'était qu'une villa de week-end semblable à toutes celles dont les Nantais ont affligé les deux rives ; et que les Méliset, dynastie du rabat d'affaires, avaient jadis entretenu d'étroites relations avec les Goudart, dynastie du rabat d'assises, éteinte en la personne de mon grand-père. Sa mort, le temps, notre pauvreté, peut-être aussi un certain décalage dans les générations, un certain glissement dans les opinions avaient distendu les liens. Bref, grand-mère ne les recevait plus et nous aurions dû être bien tranquilles...

Mais, je le répète, l'Erdre nous avait trahis. D'ordinaire, pour aller de La Fouve à La Glauquaie, à pied sec, il faut faire le grand tour, remonter au village, franchir l'Hocmard, aller chercher le pont de Sucé, redescendre par les levées qui se faufilent à travers les saussaies et jouent à saute-mouton par-dessus les fossés de drainage : une véritable expédition étirant sur trois lieues les six cents mètres qui, pour une hirondelle, séparent nos ardoises des tuiles de La Glauquaie ! Malheureusement, ce qui sépare peut aussi rapprocher. Travaillé par son atavisme riverain, maître Ténor ne quittait sa toge que pour chausser des bottes de caoutchouc et passer des méandres de la procédure à ceux de la rivière. Sa barque à cul coupé, couleur grenouille, on la voyait partout, enfoncée jusqu'aux tolets par cent kilos d'homme de loi et pourtant maniée à merveille, bouchonnant ci, bouchonnant là et franchissant les pires chenaux en quatre coups de godille. J'entends bien : ce vieux, ses bajoues bleuâtres, son ventre poussant un nombril poilu entre culotte et maillot, ce n'était pas dangereux ! Mais l'acolyte ! Apparemment insensible aux joies aquatiques, durant des années — où, petite fille, je n'aperçus pas trois fois ce grand brun, si grave, si hâve et comme laminé par ses doctorats — il avait soudain ressuscité, tardivement, d'entre ses dossiers ; il avait envahi le marais. On l'apercevait en slip, toute viande dehors et barattant de la pagaie sur une canadienne vernie. On l'apercevait en short, en veste de pêche à popoches, manipulant un lancer léger, tout neuf, tout nickelé, dont il vous expédiait la cuiller à cinquante mètres, entre deux nénuphars, d'un joli coup de poignet.

« Quel style ! » murmura Maman, un certain soir d'été.

C'était l'époque où je bêtifiais encore, où j'enrageais seulement de le voir évoluer contre notre berge, dans ces eaux que je considérais comme mes eaux territoriales Mais mon indignation n'avait pas tardé à changer de sens. L'intérêt de Maman pour la motte du cormier m'avait édifiée. Et l'insistance du monsieur : car il abordait maintenant, le Ténorino, il sautait sur la berge, il offrait des tours en canadienne, des essais de lancer, il faisait des grâces parmi les moustiques et Maman affirmait :

« C'est idiot d'avoir rompu avec les Méliset. Ils sont charmants ! »

Si charmants que les oreilles m'en avaient sonné, que j'avais commencé à les surveiller âprement, tous les deux, pour ne pas les laisser seuls, pour leur opposer mon silence et mon hostilité. En vain, bien sûr. Il est si facile de devenir discret. Avec l'hiver, comme de juste, la canadienne avait disparu. Au printemps, après la crue, qui fait friser l'écume au fer de lance des sagittaires, elle n'était pas revenue effaroucher les halbrans. Mais Maman s'était absentée plus souvent, de jour, puis de nuit, tandis que Nathalie se mettait à gronder des choses indistinctes et le vieux Méliset, passant sur son bateau vert, à me tourner le dos avec application, comme s'il me reprochait quelque chose.

☆

Nul doute : ils ont certainement eu du mal à convaincre le vieux, qui passe pour fort riche et devait pour son fils rêver autre chose que cette divorcée sans fortune, flanquée de deux filles et de trois ans son aînée. Peut-être même leur a-t-il opposé un refus catégorique. Espoir suprême ! Malgré la publication des bans — contrôlée par Nat, à la mairie — je m'y raccroche tandis que la barque, maintenant en pleine rivière, s'avance sur un ciel renversé, très bleu, festonné de gros cumulus. Maman est assise à l'arrière ; Maurice Méliset rame en me tournant le dos ; mais ces bouffées d'air, qui fripent toujours un peu l'eau et portent si loin le moindre murmure, ne laissent monter aucun mot. Ce silence est de bon augure, avoue-t-il une défaite ? Ou au contraire, à force de se regarder, n'éprouvent-ils plus aucun besoin de parler ? La haine m'étouffe et j'invoquerais dieu ou diable pour obtenir un miracle qui fasse basculer dans le bouillon ce gandin, avec sa raie, son fil-à-fil et son col blanc, qui me permette d'aller l'empoigner par la cravate, de le ramener, tout boueux, tout honteux, sur la berge.

Mais tandis que je m'efface instinctivement derrière le cormier pour ne pas être vue, la barque pique droit, sans même balancer, file vivement sur son erre. Il ne me sera même pas donné de la voir buter un peu sec ! L'animal, tournant la tête à point donné, dérame à la perfection, accoste comme sur du feutre. Il est déjà à terre, il tire sur la chaîne et Maman s'avance, sur la pointe des pieds, de peur de coincer un de ses talons dans les interstices du caillebotis.

« Ta main ! » gémit-elle.

Et le tutoiement me rallume. On la lui tend, la main ! On lui tend même les deux — en assurant la chaîne avec le pied. Elle saute, exagérant à plaisir une maladresse exquise. Elle saute et demeure plantée près de lui, immobile, le regardant nouer la chaîne autour d'une racine. Elle est... Comment dire ? Elle est, en ce moment, la beauté même. Elle se détache sur ce fond d'eau comme l'Egyptienne de la fable sortie, vivante, de son miroir. Elle affiche même sa plénitude : cette insolence fragile du sein, du cou, de la paupière et ce teint, cette fraîcheur en danger qui exalte sa rose. Elle dit :

« Maurice ! »

Et Maurice se relève, les mains en avant. Et les voilà devant moi, enlacés, entortillés l'un dans l'autre, tête dessus, tête dessous, pour un bouche-à-bouche écrasé, un gros plan de fin de mélo. Et je me surprends à compter les secondes, *une, deux, trois, quatre,* en les dévorant des yeux, *cinq, six,* en cherchant le petit défaut, la disgrâce, *sept, huit,* ce qu'il y a toujours de mal noué, de flottant, de méchant équilibre dans la statuaire d'un baiser. Mais ce baiser-là, qui scelle ma mère au sceau d'un étranger, a, Dieu lui pardonne ! quelque chose de parfait, d'irrémédiablement réussi, qui lui permet de s'amollir, de pendre sans ridicule au bras de cet homme, *neuf, dix,* qui m'apprend définitivement ma défaite.

C'en est trop, je n'en supporterai pas plus. Je bondis, je déboule comme un lièvre vers la maison, vers La Fouve qui, elle non plus pourtant, ne pourra pas me rester fidèle. Car il va monter, le prétendant, avec sa Pénélope. Il entrera en maître, il accrochera son chapeau à la patère ; il poussera une reconnaissance dans la « chambre bleue » de Maman, dans la mienne ; il inspectera avec un gros sourire ce féminin royaume de linge épars, de bas à remailler, de juponnantes housses ; il se carrera dans le fauteuil de grand-mère où nul, depuis sa mort, ne s'est assis ; il sortira son paquet de Camel et la grande salle sentira l'homme, la gomina, la cigarette. Je cours, je cours, songeant encore : « Bien beau si, un jour, elle ne sent pas le renfermé, s'il ne nous contraint pas, le petit beau-père, à nous en aller à Nantes repasser ses manchettes et ses rabats ! » Mais quoi ? Ai-je bien entendu ?

« Isabelle ! crie-t-on derrière moi.

— Isa ! » crie-t-on devant moi.

Je choisis la seconde voix : celle de Nat qui sort de la cuisine, Berthe sur ses talons. J'arrive, haletante, devant elle et je n'ai pas besoin d'ouvrir la bouche. Elle comprend tout de suite, et, plus raide que sa coiffe, se signe, tandis que le poil de son menton se hérisse comme un cactus.

« Ta mère arrive ! » jette-t-elle à ma sœur.

Mais Berthe, pour une fois, a aussi deviné. Elle s'avance déjà en sens inverse, elle galope vers la rivière, toute ronde, le sourire en pleine lune et la gorge crevée de tendres acclamations.

C'est très bien ainsi : Méliset II aura l'accueil qui lui est dû. A la vue de notre bonne grosse dinde, sans doute se réjouira-t-il en son cœur d'entrer dans une famille qui lui offre l'honneur et la joie d'afficher désormais cette adorable belle-fille. Que d'affection autour de lui ! Quel doux avenir, aimanté par nos vœux ! Avec l'éternelle reconnaissance d'une pauvre demi-veuve, d'une demi-Ruth enfin sauvée de ses langueurs, avec le pieux dévouement d'une chère vieille domestique, avec la filiale assurance de ma propre tendresse, comme il sera comblé ! Et dire qu'il ne s'en doute même pas ! Je m'entends murmurer, avec étonnement :

« Elle, on admet encore. Mais lui ! »

Nat, dont le regard vient de croiser le mien et qui, à son habitude, y lit tout ce qu'elle veut, enfonce les mains dans les poches de son tablier.

« Tu sais, grogne-t-elle, un amoureux et un fou sont cousins. La réflexion, ça leur est défendu comme le *pater* aux ânes. »

Elle reste une seconde silencieuse, tord une moue et ajoute :

« Et puis, comme disait le curé en chaire, l'autre jour, le péché appelle le péché. Des fois, on ne peut plus se rattraper qu'en s'installant dedans. »

Je ne relèverai pas aussitôt l'insinuation. Un sentiment curieux m'aiguise le sourire : le péché, c'est vrai, ils vont vivre dans le péché et cela, aussi, est bien. Je veux dire : cela est bien qui rejette leur amour dans le mal, qui exalte ma cause en aggravant leurs torts. Ils ont la loi pour eux, mais ils n'auront pas les prophètes. Ni les sœurs, ni l'abbé Velle, ni l'opinion du bourg, ni même le maire qui, en tant que maire, les déclarera « unis par le mariage », mais une fois son écharpe enlevée, en bon pratiquant, estimera le contraire. Oui, c'est cela qui est bien : que, malgré les faiblesses de Maman pour cet homme, elle ne puisse jamais devenir aussi complètement sa femme qu'elle est ma mère et que ce soit une faute de l'aimer, lui, une faute, n'est-ce pas ? Une faute, alors que... Soyons franche ! Brusquement, je me sens odieuse et je ne le crois pas. Comme si j'avais osé le dire, je me mords les lèvres jusqu'au sang. Je demande, dans un souffle :

« Tu ne penses vraiment pas, Nat, que Maman... »

Nathalie, de haut en bas, fait osciller sa coiffe.

« Si, dit-elle, j'ai idée que ta mère est enceinte. »

☆

Si elle l'est, cela ne se voit guère. Au bout de l'allée, elle vient justement de paraître, Maman, vive et mince dans son tailleur gris perle. Lancée au petit trot, elle relève d'une main sa jupe étroite et, de l'autre, flatte l'épaule de Berthe qui gambade lourdement à côté d'elle, qui la renifle, la patte haute, avec son bel air gros chien. J'entends déjà la patiente antienne qu'elle oppose d'ordinaire à ses mamours :

« Voyons, Berthe, voyons ! Tu n'as plus deux ans. »

Pas de Maurice. Satisfait de sa ration de rouge, il a dû repartir aussitôt, à moins qu'alarmé par ma fuite on ne lui ait fait comprendre que, sous tous les climats, le retour de la mère appartient aux enfants. Il a du tact, parfois, mon petit tailleur gris. A mes côtés Nathalie s'agite, soupire, tient à deux mains cette poitrine de nourrice, vite écroulée sur ses indignations. Mon genou bouge sous ma robe, esquisse un pas qui sera difficilement retenu. Maman ne trotte plus. Inquiète et comme intimidée par ma réserve, elle affecte d'enlever ses gants, d'embrasser Berthe ; elle s'arrête même quelques secondes pour enlever un grain de sable de sa chaussure. Enfin, parvenue à dix mètres, elle n'y tient plus :

« Isabelle ! » chante-t-elle en ouvrant les bras.

Que faire ? Sinon m'y ruer.

IV

Une bûche de pin, au centre du premier feu que Nathalie venait d'allumer dans la salle, péta sec, cribla de fumerons le pare-étincelles. Dans son fauteuil, tiré à ras du foyer, Maman sursauta, porta une fois de plus la main à ses tempes. Nous avions mangé très vite, presque en silence, le fameux brochet ou, plutôt, ce qui en restait, transformé en quenelles. Puis, la table desservie, la vaisselle faite, Maman s'était recroquevillée dans le Voltaire à oreillettes en gémissant :

« Encore cette migraine ! Depuis une semaine, je n'en sors pas. »

Elle venait d'avaler, coup sur coup, deux comprimés d'Aspro et, tricotant ferme toutes les trois, nous l'entourions, attentives. Un peu sceptiques, aussi. Cherchait-elle à gagner du temps, à esquiver une scène ? Les effusions terminées, la gêne était vite revenue rôder entre nous. Nous hésitions, toutes. Maman nous regardait, par instants, semblait sur le point d'ouvrir la bouche, détournait les yeux, se réfugiait dans l'attente. Au-dehors, le ciel, largement envahi par l'ouest, s'assombrissait au point de simuler le soir. Les rideaux de tulle ne filtraient plus qu'une humide grisaille, où s'évanouissaient les meubles et les cuivres, çà et là trahis par un reflet.

« Tu sais, murmura Nathalie, j'ai livré les dames Gombeloux, au Clod-Bourelle. Quant à Mlle Martinelle...

— Bien, bien, dit Maman. Liquide tout et n'accepte rien d'autre. Dieu merci, maintenant, nous n'en aurons plus besoin. »

Dans la fumée bleue des rondins, qui suaient leur résine, une flamme fusa, plus drue, plus jaune, qui fit bouger les ombres dans la pièce et retoucha devant moi trois visages : celui de Maman, soudain moins lisse et trahissant sa poudre ; celui de Berthe, bouffi, tout entortillé de mèches ; celui de Nat, mi-os mi-peau, emballant pommettes et mâchoire dans la bonhomie de ses rides flottantes. Ils étaient tous trois tendus, comme le mien devait l'être... « Dieu merci ! » avait dit Maman, songeant aux longues séances de couture qu'allaient rendre inutiles les honoraires de Maurice Méliset et dans sa voix il y avait un soulagement qui me soulageait moi-même. Tant mieux si ces honoraires-là comptaient dans sa décision ! Cœur rival excuse mieux l'intérêt que l'amour. Au surplus, la réflexion tombait à point pour amorcer le débat. Nathalie enchaîna aussitôt, dans un souffle :

« Tu as bien réfléchi, Belle ? Tu sais où tu vas, où tu mènes les petites ? »

« Belle » eut un geste las qui refusait la discussion. Elle détestait d'ailleurs ce diminutif tiré de notre commun prénom que Nat, pour éviter les confusions, avait coupé en deux. Mais rien ne pouvait plus arrêter la têtue bigouden :

« J'ai vu M. le curé, avant-hier, reprit-elle à voix haute. Il était désolé. Il m'a dit : « Nous « avions fermé les yeux après le divorce de « Mme Duplon ; on pouvait admettre qu'elle « l'avait subi. Cette fois, elle s'excommunie, « et dans ce pays chrétien... »

— Dans ce pays chrétien... quoi ? fit Maman, soulevant un front lourd et buté.

— Tu le sais bien, gronda Nathalie. C'est la quarantaine. Les portes fermées. Tes filles sans amies et, plus tard, sans partis. Déjà, on me regardait d'un drôle d'air, sur le marché. Le boulanger m'a dit : « Alors, c'est vrai ? Ils sont affichés ! » J'ai sauté à la mairie pour voir le tableau des bans...

— Il retarde ! »

Mes aiguilles s'immobilisèrent et je fus debout, en même temps que Nat. Ces deux mots, Maman venait de les prononcer d'une voix unie, très douce, comme s'il s'agissait d'un détail sans importance. Elle continuait sur le même ton, elle ajoutait très vite :

« Il retarde ! Maurice et moi, nous nous sommes justement mariés avant-hier, à Nantes. »

☆

A l'instant même, mes yeux tombèrent sur son alliance. Celle de Papa, qu'elle avait toujours continué à porter, pour la galerie, était d'or, et flanquée d'une bague de fiançailles « en tourbillon » (un maigre diamant de famille que l'économe grand-mère Duplon avait « fait remonter » à cette occasion, selon les bonnes traditions). Celle-ci était de platine, sur le doigt nu des secondes noces, et je lui trouvai aussitôt la teinte, le format — et la valeur — des petits anneaux de rideau du brise-bise. On change de chemise, on change de bijou, on change d'homme ! Mais quoi ! Change-t-on de corps ? Dans quelle mesure pouvait-elle s'appeler Mme Méliset, puisqu'elle était ma mère et que je m'appelais toujours Isabelle Duplon ? Figée, muette, je ne savais que dire, je ne pouvais que m'associer à l'indignation de Nathalie, qui s'étranglait, qui ne cessait de répéter :

« Tu nous as fait ça ! Un mariage à la sauvette... Tu nous as fait ça ! »

Très rouge, mais délivrée, Maman laissait passer l'orage et, la tête dans l'âtre, fouillait les braises du bout de la pincette, en protestant du bout des lèvres :

« Comment faire autrement, dans ma situation ?

— Tu n'avais qu'à ne pas t'y mettre ! cria Nathalie.

— J'ai fait ce que j'ai pu ! reprit Maman. Personne ne saura au juste ni où ni quand nous nous sommes mariés. J'ai brouillé les choses...

— Ça, pour brouiller les choses, tu en brouilles plus que tu ne crois ! gronda Nathalie, en se laissant retomber sur sa chaise, d'une seule masse. Mais je vais te dire, ajouta-t-elle, la vérité, c'est que tu as eu peur de nous.

— Oui », dit Maman.

Une des aiguilles de plastique, que je tenais encore, cassa dans ma main. Cette sincérité désarmante qui faisait si vite table rase de ses pauvres secrets, la protégeait une fois de plus.

« Inconsciente ! Tu es inconsciente ! fit Nathalie, les mains jointes. Je serai restée trente ans ici, je t'aurai élevée, j'aurai élevé tes filles, je me serai crevée toute ma vie pour m'entendre dire que tu te méfies de moi ! Tiens, j'aime mieux m'en aller à la cuisine. Mes torchons sont plus propres que tes serviettes ! »

Alors Maman se retourna, rattrapa d'une main Nathalie, qui esquissait une fausse sortie, son tuyau de dentelle rejeté en arrière, avec la sévère majesté d'un hennin ; puis de l'autre elle agrippa ma jupe. Elle était devenue blanche. La colère, soudain, défigurait son visage, fait pour les petites mines, les douillets sourires, et déchiquetait sa voix qui d'ordinaire nouait les mots comme des rubans.

« Après tout, criait-elle, c'est de votre faute ! Vous avez tout fait pour éloigner Maurice. Si je ne vous avais pas mis devant le fait accompli, si je vous avais prévenues, Dieu sait quelle pression vous m'auriez fait subir, quel incident vous auriez soulevé, en dernière heure ! Comme ça, je suis tranquille, c'est fait, personne n'y peut plus rien.

— Mariage de papier ! s'exclama Nathalie. Où Dieu dit non, personne n'a dit oui.

— Je t'en prie, ne me récite pas le catéchisme, tu es trop contente de l'avoir pour toi ! Ce que tu rêvais, comme celle-ci — et ce disant, Maman tirait ma jupe — c'était de me garder ici toute la vie, pour vous toutes seules. Vous m'aimez bien ! Je vous aime bien ! Mais... »

Elle lâcha ma jupe, puis le bras de Nathalie.

« Mais il faut un acte de mariage pour préparer un acte de naissance et il est heureux que le code, là-dessus, ait la morale moins courte. Et puis... »

Elle hésitait, elle nous connaissait bien, elle avait peur de nous blesser. Je pensai : « Elle la trouve courte, maintenant, la morale, parce qu'elle l'a transgressée. » L'argument de la nécessité ne me désolait pas : il entrait décidément dans la maison par la petite porte, le beau-père ! Nathalie, bougonne, semblait ébranlée : pour la plus dévote paysanne, il n'y a pas de religion qui tienne devant un berceau Mais Maman eut le tort d'ajouter :

« Et puis quoi ! Tâchez de comprendre, à la fin ! André s'est remarié presque aussitôt. Moi, j'ai attendu des années. Mais le temps passe, je n'ai plus vingt ans, je serais stupide de refuser une chance inespérée. Je suis une femme comme les autres, tout de même ! J'ai le droit de vivre et d'être heureuse. »

Allons, elle ne l'était donc pas avec nous ? La tête de biais, battant des cils, Maman nous observait. La tirade était restée sans effet, n'avait pas produit ce qu'elle espérait : le cri du cœur, le grand saute-au-cou. Nous restions gauches et raides, devant elle, sauf Berthe qui n'y comprenait rien et d'une main sale, hésitante, essayait de lui caresser les cheveux, de toucher ce trésor. Maman l'écarta, d'un geste agacé.

« Maurice est au Palais. Il avait une affaire importante à plaider, reprit-elle d'une voix indifférente. Il sera là ce soir pour dîner.

— Mais il n'y a plus de car ! dit Nathalie, emportée par l'habitude.

— Il a sa voiture. »

Et aussitôt, dans le curieux silence mérité par cette voiture :

« A propos, Nat, il faudra enlever le tas d'oignons pour lui faire une place dans la remise. »

Puis, une main au front, elle se réfugia de nouveau dans la migraine, sans insister, sans nous demander d'offrir aussi au pilote une place dans notre cœur. Je n'avais pas dit un mot. Pas un. Mais Maman ne s'y était pas méprise. *Un amour comme le nôtre* — j'emploie à dessein cette vieille scie — ça se chante, n'est-ce pas, ça ne se tait pas. Elle m'en voulait de mon mutisme et de ma résistance, mais aussi de sa propre dissimulation, de ses aveux. Elle m'en voulait comme je lui en voulais : pour de bonnes et de mauvaises raisons, toutes liguées dans le frénétique refus de la seule chose qui me fût vraiment intolérable : une passion étrangère.

« Venez, les petites ! dit Nathalie, très sèche. On va débarrasser. »

Je me secouai. Il faisait maintenant presque noir. Maman tournait le dos, remettait mollement une bûche dans le feu. A quoi bon réfléchir ? De tout ce que j'avais prévu pour le jour où le danger se préciserait : chœur de supplications, démarche du curé, ambassade auprès du père et du fils... rien ne pouvait plus être tenté. Dans la situation de Maman, rien, de toute façon, n'aurait pu l'être. Il n'y avait plus qu'à s'incliner devant l'envahisseur — en se défendant sur place, en organisant le maquis.

« Va, mon petit pigeon ! » dit Maman, pour la forme.

Je battis en retraite sur la pointe des pieds. Dans le vestibule, où elle m'avait précédée, Berthe, très absorbée, fouillait dans son nez.

« Mais qui arrive ce soir ? Qui ?

— Ça va être commode de lui expliquer ! » dit Nathalie excédée.

D'autant plus commode que, nous-mêmes, nous étions encore noyées, dépassées, incrédules ! Les cérémonies ont au moins un avantage : elles prennent date, elles assurent la transition, le passage entre deux vies. Rien de tel en l'occurrence : il nous tombait un père et il fallait l'admettre, sans préavis, dans la minute. Mais soudain je pensais à la belle-mère inconnue, à son surnom.

« Mais qui arrive ce soir ? Qui ?
sœur.

— Le nouveau mari de Maman, Monsieur Bis, quoi ! » fis-je simplement.

V

L'ÉPOUX eut d'abord de la chance. Sans avoir eu l'impudeur de nous consulter, Nat et moi, nous attendions son arrivée comme le coup d'envoi d'un match. J'étais curieuse de savoir comment il s'en tirerait, quelle tête de prince consort brusquement monté sur un trône étranger il allait nous offrir. Même en le considérant comme obligatoire, je ne parvenais pas très bien à comprendre qu'il eût accepté ce mariage furtif qui rendait son entrée parmi nous délicate. J'échafaudais cent hypothèses : « Son père ne voulait pas. Il lui a forcé la main, comme Maman nous l'a forcée à nous ! » Ou encore, malgré la scène de l'Erdre, après tout conforme aux adieux qu'un mari fait à sa femme : « En fait, ils ne voulaient pas se marier. Ils s'y sont décidés en dernière minute dans l'affolement, et il ne doit pas être plus fier de lui qu'elle n'était fière d'elle, en arrivant. »

Mais toute attitude, justement, allait lui être épargnée. A six heures, malgré quatre nouveaux cachets, Maman se cognait la tête contre les murs. La trouvant rouge et chaude, Nat lui planta un thermomètre sous la langue : elle avait 39°6 !

« Au lit ! » décréta-t-elle aussitôt.

Affolée ou feignant de l'être à l'idée de nous laisser le soin de recevoir Maurice Méliset, Maman essaya bien de se cramponner à son fauteuil. Mais très vite, flageolante, secouée de frissons — et peut-être aussi pas fâchée de faire l'économie d'une scène en rassemblant son monde dans l'inquiétude et la prévenance qu'on doit à une malade — elle se laissa hisser jusqu'à sa chambre et enfouir sous la couverture chauffante. De telle sorte qu'à sept heures, quand retentirent, aux trois derniers tournants, ces trois coups de klaxon plusieurs fois repris et dispersés par l'écho du marais, je n'eus pas moi-même à me composer un visage. Entrée toute faite, présentations superflues. La fièvre maternelle nous évitait d'avoir à briser la glace. Je descendis l'escalier, quatre à quatre, en me disant, pour le principe : « Si j'ouvrais la porte en lui demandant : Vous désirez, Monsieur ?... Mme Méliset ? Non, connais pas. Ici, c'est

Mme Duplon ! » Mais cette fine plaisanterie me resta pour compte. En réalité, je courus jusqu'à la grille, l'ouvris, me jetai sur la portière de la voiture — une Vedette noire ou bleu foncé — qui venait d'arrêter sans le moindre gémissement de freins et, d'autorité, m'installai sur les coussins arrière. Puis, négligeant les ménagements qu'il ne méritait pas, je criai au chauffeur :

« Au bourg, vite. Il faut aller chercher le docteur Mahorin. Maman est malade.

— Quoi ? Qu'est-ce qu'elle a ? » s'exclama l'ombre chinoise, qui maniait le volant.

La voix me parut trop calme. La Vedette repartait déjà, à mon commandement. Je pensais, satisfaite : « S'est-il marié de cette façon-là ? Il aurait pu monter, se rendre compte, avant de repartir. Il devrait me presser de questions ou, au moins, me dire bonjour ! » Or, c'est moi qui annonçai :

« Rien de grave, vous savez. Bonjour, quand même !

— Bonjour, fit la voix, toujours calme. C'est vous Isabelle ? »

Vous, pas *tu.* Cette déférence était louable. Mais la confusion possible avec ma sœur, malgré l'ombre, ne me faisait aucun plaisir. Je ne répondis pas. La tête et le chapeau posé sur cette tête oscillaient un peu, suivant le mouvement des bras quand ils prenaient les tournants, très à droite, tout à fait en dedans de la ligne jaune, bien nette dans la lueur des phares qui rejetaient tout le reste, haies, talus, arbres et ciel, dans un mélange de brume et de nuit. Le ronflement discret du moteur, agacé par de petits coups d'accélérateur, meublait suffisamment le silence. Un chat traversa, comme nous arrivions au bourg, et un léger choc nous avertit qu'il était touché.

« Onze ! dit le beau-père, recensant sans doute ses victimes. Et aussitôt après : C'est la sixième maison, hein ? »

Je descendis comme j'étais montée : sans lui demander son avis, sans l'attendre. Il ne me suivit pas. Le docteur Mahorin n'était d'ailleurs pas là. Marielle, sa petite bonne, vint ouvrir, la serviette en main et m'expliqua, la bouche encore pleine, qu'il était à l'Hôtel-Dieu, qu'il accouchait la petite Hérinault.

« Et je vous dis qu'il est colère, dame ! Une gamine qui... »

Je savais. Je connaissais Monique Hérinault, qui, devenue vraiment trop lourde, même pour une servante nourrie de potées au lard, avait dû trois mois plus tôt quitter honteusement le banc des enfants de Marie. Je connaissais aussi les solides indignations du docteur Mahorin, marguillier plus intraitable que le curé sur la vertu des filles et la sainte fertilité des ménages. Comme Marielle n'était pas très débrouillarde, j'inscrivis moi-même sur le registre des visites : *Mme Duplon à La Fouve, le plus tôt possible* et, sans remords, je rejoignis M. Méliset qui s'était contenté de faire demi-tour et d'allumer une cigarette dont le point rouge, derrière le pare-brise, jetait par instants une lueur sourde sur son profil ennuyé. Il démarra aussitôt, sans rien demander et il n'avait pas ouvert la bouche quand, après avoir pris le temps de bien ranger sa voiture dans la remise, de bien fermer les portes, de bien s'essuyer les pieds, il pénétra enfin dans le vestibule, en pleine lumière, et me demanda, avec une politesse de visiteur, sans même lâcher sa valise :

« Votre maman est en haut, n'est-ce pas ? Vous seriez gentille de me conduire. »

☆

L'idée que ce mari me demandait, à moi, de lui montrer la chambre de sa femme, comme un voyageur demande à un garçon d'étage de lui indiquer le bon numéro, me laissa sans souffle. Je lcvai les yeux et le vis, pour la première fois, tel qu'il était : le jeune homme prolongé, un peu grave et s'assurant d'avoir l'air assuré, que sont souvent les célibataires vers trente-cinq ans. Avec quelque chose de plus ou, plutôt, quelque chose de moins : cette pochette trop large, ce buste penché, cette peau fraîche et bien tendue sur la pommette, alors qu'elle se laissait bleuir sous le menton par la barbe du jour. Lui aussi m'observait, étonné — je l'aurais juré — de pouvoir justement me regarder sans avoir à baisser la tête. Une petite jeune fille qui détale dans un jardin, dont on aperçoit la jupe cloche, les chevilles nues, les cheveux au vent, ça fait jeunet, ça n'inquiète pas ! Mais la demoiselle de la maison qui vous reçoit, perchée sur ses talons et s'étirant le cou pour vous planter l'œil dans l'œil, au même niveau, voilà qui devient beaucoup moins rassurant. Imprudent Ténorino ! Il n'était pas au bout de ses peines. Comme je m'effaçais, polie, pour laisser passer beau-père et valise, Berthe jaillit des profondeurs de la maison en claquant de la savate, dévala l'escalier avec sa légèreté habituelle et vint se jeter dans mes jambes.

« C'est M. Bis ! » glapit-elle, le doigt pointé.

Je rabattis ce doigt, avec un sourire accompagné du hochement de tête qui excuse les innocents. Mais M. Bis, les sourcils au milieu du front, ne souriait pas du tout. Il dit, avec un effort méritoire :

« Bonsoir, Berthe. »

Puis il ramassa sa valise, qu'il avait un instant lâchée. Mais au même instant un ours gris, enfoui dans sa pelisse à boutonnière rayée de violet (le docteur Mahorin donnait, accessoirement, dans les sociétés savantes), bouscula notre porte, salua ou crut saluer d'un mouvement de patte et, sans autre forme de procès, commença l'ascension de l'escalier.

« Je suis pressé, grogna cet homme aimable. J'ai un autre accouchement pour huit heures. Qu'est-ce qu'elle a, ta mère ?

— Isabelle dit qu'elle a de la fièvre », murmura bravement M. Méliset, toujours flanqué de cette valise qui lui donnait si fort l'air d'un étranger et semblait lui enlever tout droit aux confidences de l'intimité.

Mahorin ne fit même pas attention à lui. Il soufflait, pestant contre les hautes marches, cent fois gravies. Parvenu au palier, il jeta son cri : « Alors-Alors ! » et tapa des pieds selon un rite immuable destiné, d'après lui, à ne pas surprendre la pudeur des malades. Nous lui avions tous emboîté le pas ; la cohorte lui parut excessive.

« Ce n'est pas un cours de Faculté ! » cria-t-il en franchissant la porte.

Je retins Berthe, qui s'élançait. Un peu agacé tout de même, Maurice Méliset hésitait, me consultait du regard comme pour me demander s'il était séant ou malséant de pousser plus avant. Dans la chambre, la voix de Maman s'éleva, bredouillant confusément quelque chose. Celle de Nat ajouta sans enthousiasme : « Hé, oui ! » et Mahorin fit, à la cantonade :

« Ton mari ! Je ne savais pas. Mais si tu as un mari, maintenant, bien sûr... »

Je ne pourrais pas l'affirmer, je crois pourtant me souvenir que je le poussai légèrement dans le dos, ce mari. Il entra, avec sa valise, accueilli par un petit cri qui m'écorcha l'oreille et aussi, Dieu merci, par deux maigres formules de politesse. Je pouvais être tranquille : le docteur Mahorin ne lui pardonnerait pas de sitôt d'être à La Fouve sous le bénéfice de la loi Naquet et Nathalie était dans la pièce, qui saurait prendre le relais.

☆

Elle le prit et de main de maître. Au bout de dix minutes, après de longs chuchotements et tandis que ma sœur, piétinant autour de moi, répétait pour la vingtième fois : « T'as vu, Isa ? Il n'est pas vieux. T'as vu ? » la porte se rouvrit. Il en sortit, dans l'ordre d'importance, trois personnes : le docteur, qui reboutonnait sa pelisse, Nathalie qui croisait les bras (comme un homme : attitude qui, chez elle, signifie colère ou réflexion), enfin Maurice Méliset qui n'avait plus sa valise, mais ne jouait toujours pas les maîtres de céans. Tout le monde redescendit et, une fois dans le vestibule où, en pareille occurrence, il avait l'habitude de s'asseoir devant une console pour rédiger ses ordonnances, ce fut vers Nathalie que le médecin tourna son bouc :

« Elle couve quelque chose, dit-il avec simplicité. Mais quoi ? Je n'en sais rien. Fièvre, mal de tête, vertiges, ça peut être tout ce qu'on veut. »

Telle était bien sa manière, qui avait le tort de ne pas en imposer, qui dépitait les amateurs de diagnostics express et de termes savants, nombreux à la campagne où l'on aime en avoir pour son argent. Il avait tiré son stylo, son bloc et s'appliquait, rédigeant son ordonnance d'une écriture aussi peu médicale que possible, où chaque lettre, chaque chiffre étaient moulés avec une conscience d'instituteur. Soudain sa tête fit un quart de tour.

« Quant au reste, reprit-il, je ne suis pas du tout certain qu'elle ait raison.

— Vous dites ! » fit Nathalie avec une âpreté singulière.

Elle semblait bouleversée. Maurice Méliset, lui aussi, avait poussé une exclamation ; il s'était avancé d'un pas et chiffonnait nerveusement sa cravate. Je ne comprenais pas encore, mais la discrétion même du vieux médecin — dont le regard, tombé sur moi, se détournait vivement — me mit sur la voie.

« Je ne dis rien, bougonna-t-il en recapuchonnant son stylo. Nous serons vite fixés. Excusez-moi, madame Mériadec, il est temps que je file. Sauf complications, je reviendrai lundi. N'oubliez pas de me prélever un petit flaçon de ce que je vous ai demandé, pour analyse. Et donnez-lui, trois fois par jour, une cuillerée à soupe de cette mixture, que vous ferez faire chez Thomas. »

Je voyais déjà Thomas, le pharmacien, brandir les bras au ciel, en gémissant : « Celui-là, avec ses compositions ! Il ne saura donc jamais qu'il y a des spécialités ! » Mais Mahorin, chimiste intrépide, n'en avait cure. Abandonnant son ordonnance sur la console il se relevait, craquant de toutes ses jointures ; il s'inclinait, à la ronde. C'était aussi son habitude de ne jamais serrer les mains. En passant il tâta la joue, le gras du bras, la hanche de ma sœur, murmura : « Tu manges trop, Berthe ! » Il me toucha aussi le poignet en ajoutant sur le même ton : « Toi, tu ne manges pas assez. » Puis il plongea dans la nuit où renâcla bientôt le moteur d'une antique Renault. Personne n'avait encore bougé. Berthe, avec un affreux sans-gêne, lorgnait la bête curieuse et Maurice Méliset se laissait faire, indifférent, lointain, boudant les lieux comme ces récents pensionnaires du zoo qui ne parviennent pas à comprendre de quelle façon ils sont arrivés dans leur cage. Nathalie, absorbée dans un calcul secret, comptait sur ses doigts. Il y avait du soupçon dans l'air et tant de malaise que Maurice sembla trouver enfin l'autorité nécessaire pour en sortir. Il releva le menton et dit, d'un air décidé :

« Je remonte chez Madame. Vous m'appellerez quand vous aurez servi, Nathalie. »

J'en restai court. C'était vraiment trop beau ! Il repartait d'un long pas d'homme préoccupé, tandis que Nathalie, cramoisie, le suivait des yeux avec fureur, lui déchargeait deux pistolets dans le dos. Bonne scène, en vérité, digne de clore cette journée des dupes ! Maurice arrivait pour apprendre que, peut-être, il avait été joué, abusé comme nous par un magnifique prétexte. A force de réserve, il ratait son entrée et, pour rattraper cette maladresse, il la corsait d'une impardonnable gaffe en parlant à Nathalie comme à une domestique. Comment pouvait-il ignorer que Madame, pour Nat, se nommait Isabelle, et qu'elle-même, depuis si longtemps naturalisée membre de la famille, n'était Nathalie que pour nous seules, par élection du cœur, par « amitié de bouche » où s'abolissait le détestable emploi du prénom servile ? Certes, Maurice n'avait dû en user que par ignorance du véritable rôle tenu à La Fouve par celle que tout le village appelait courtoisement « Madame Mériadec ». Mais ce n'était pas moins grave, au contraire, car dans ce cas c'était Maman qui avait omis de souligner ce rôle, de mettre les choses au point et l'injure s'aggravait d'ingratitude. L'amour-propre saigne plus vite, mais moins longtemps que l'amour. Il suffisait de regarder Nathalie pour s'en convaincre : elle ne s'en remettrait pas de sitôt. Elle répéta trois fois, pour elle seule, cette menace indécise :

« Toi, mon petit bonhomme... »

Puis elle se tourna vers moi :

« Tu l'as entendu ? Joseph ! Je me demande

ce que je suis, maintenant, dans cette maison. Et tu as compris ? Si ça se trouve, ta mère n'est même pas enceinte ! Elle s'est peut-être trompée... Ferme les volets, pendant que je bats l'omelette. »

Elle tourna les talons et fonça vers sa cuisine, rageuse, dans un tourbillon de robe. Berthe suivit, intéressée par la glane qu'elle faisait souvent subir aux compotiers, avant le dîner. J'ouvris la première fenêtre pour attirer les persiennes. L'odeur des feuilles mortes humides et le coassement inlassable des grenouilles de l'Erdre s'engouffrèrent dans la pièce. Du côté du cerisier, un cri de chouette, plus aigre que tragique, déchira la nuit. Le ciel était du noir parfait, un peu croûteux, des coulées de suie dans les cheminées. Mais des dizaines de vers luisants brasillaient çà et là, comme si les étoiles étaient tombées à terre.

« Réflexion faite !... » fit Nathalie derrière moi.

Je me retournai. Réflexion faite, Nathalie revenait, contre-attaquait, secouant son chignon comme le taureau secoue ses cornes. Elle avait déjà traversé le vestibule. Au bas de l'escalier, elle s'arrêta pile et, la tête renversée, les mains en porte-voix, beugla puissamment :

« Isabelle, veux-tu du bouillon ? »

Il y eut un petit silence. Puis, là-haut, une sorte d'écho distingué répéta : « Isabelle, Nathalie demande si tu veux du bouillon ? » Au petit silence succédait une petite discussion, dont je profitai pour accrocher ma persienne. Mais je n'eus pas le temps de refermer la fenêtre.

« Très peu ! disait enfin la faible voix de ma faible mère.

— Bien, reprit aussitôt la voix tonnante de Nathalie, je t'en ferai monter par Maurice. Dis-lui de remettre du bois dans le poêle. Et de m'apporter ton vase... »

VI

Il y avait parmi l'assistance un jeune homme inconnu, d'une beauté saisissante, avec des yeux d'amande douce et cette sorte de visage aux traits purs qui attire des regards moins purs, comme les fleurs attirent les mouches. Placée comme je l'étais, dans le banc transversal des enfants de Marie groupées autour d'un harmonium essoufflé, je le voyais trop bien, sur ma droite, comme je voyais trop bien, sur ma gauche, assis pour le credo, notre vieux doyen, tout menu, tout chenu, enfoui sous la chasuble verte des interminables « dimanches après la Pentecôte » et à peine capable de soulever une paupière quand un grumeau sonore, dans la voix de nos vachères, venait troubler leur pieux ronronnement d'écrémeuse.

Irritante inattention ! Et plus irritant symbole ! Entre ceci et cela, maman avait choisi et nous étions condamnées avec elle. La réticence des bonjours sur la route fleurie de jupes dominicales m'en avait dit long. Petit malheur, bien sûr : je n'ai jamais été très sensible à l'opinion des gens. Mais le reste n'allait pas mieux. *Deum de Deo, lumen de lumine...* La veille, après ses premiers impairs, Maurice s'était un peu rattrapé. Il avait su descendre, l'ustensile en main, avec bonhomie. Il avait su aussi éviter la redoutable épreuve du dîner, en montant son plateau pour « tenir compagnie à notre malade ». Et quand, au petit matin, laissant comme d'habitude Nathalie emmener Berthe (ainsi moins visible) à la première messe, j'avais été gratter à la porte de la chambre bleue, c'était lui, déjà tout rasé, tout habillé, qui était venu m'ouvrir. *Et iterum venturus est cum gloria...* On aurait juré qu'il avait passé la nuit debout, pour ne pas être surpris en caleçon, qu'il avait répété devant la glace pour mettre au point le rond de jambe, le paternel baiser, la phrase d'accueil :

« Et voilà notre Isa ! Maman va mieux, vous savez. »

Bonjour Monsieur. Il fallait qu'il sût, bien sèchement, que je n'étais point son Isa ; que j'étais le bien de cette autre à qui, la bouche par-ci, la bouche par-là, je prodiguais aussitôt, *mon chat, mon chou, mon lapin blanc,* tous les petits noms de la création. Elle en était tout éberluée, ma pauvre mère ! Elle rendait bec pour bec ; elle suçotait sa fille avec reconnaissance, elle se voyait déjà toute pardonnée, exorcisée, nettoyée à la salive. Et malgré l'horreur que j'en ai, je continuais de faire ma sucrée, jusqu'à l'écœurement, sûre de rendre ainsi plus sensible à l'indésirable témoin de nos effusions le goût du vinaigre à lui seul réservé. Le lapin blanc, du reste, n'était pas du tout blanc, mais d'un très vilain jaune, qui virait au violacé sous des yeux en poche et se laissait dévorer par une sorte d'urticaire. Je fronçai le sourcil, mais l'époux dit, consolant :

« Ce n'est qu'un embarras gastrique. Votre Maman n'a pas dû digérer les huîtres de La Bernerie.

— Je crois aussi, dit Maman. Quand la migraine part en boutons, c'est toujours une histoire d'estomac. »

La sentence venait de Nathalie, sans aucun doute. Mais les huîtres venaient de M. Méliset et l'allusion, évoquant je ne sais quel petit dîner d'après-noces, me rejetait en arrière...

Pirouette et fuite ! Retraite vers la cuisine, vers un café au lait transformé en soupe par un excès de mouillettes beurrées. Tête-à-tête avec le cartel, qui n'en finissait pas de pousser l'aiguille sur son mur. J'avais attendu, maussade, écoutant tinter par-dessus les haies ces cloches lentes dont le vent mélangeait la rumeur aux lumières sourdes d'un matin gris. J'avais attendu encore, en lavant la vaisselle, le retour de Nathalie, furieuse d'avoir crotté ces pièces de musée — jupe de velours et tablier de soie cramoisie — dont elle continuait, malgré les sourires, à s'affubler chaque dimanche. Puis j'étais partie à mon tour, mon paroissien farci d'images sous l'aisselle et pestant de mon mieux, de flaque en flaque, contre cette voiture vautrée dans notre garage et dont je n'avais même pas pu refuser le secours, faute d'en avoir reçu la proposition.

☆

... *et vitam venturi sæculi.* Le curé se relève, péniblement, tandis que l'*amen* final s'étouffe dans le nez des chanteuses. Un enfant de chœur à soutane trop courte file vers les burettes, et la messe continue, rythmée par la claquette du vicaire qui, retour de quête, surveille âprement par-dessus des lunettes de fil de fer les petits bancs du transept, surchargés de marmaille. A genoux, assis, à genoux, debout... J'obéis mécaniquement, je fredonne à l'unisson. Mais suis-je vraiment dans cette église, parmi ces filles aux voix rèches, ces commères aux chignons gras, ces paysans harassés par les battages et dont le menton par instants s'écroule sur la grosse cravate toute faite ? Une hâte insolite me dévore. Ce curé n'en finit pas d'écarter les bras, d'étirer ses chutes d'*oremus* et je vais pousser, Seigneur ! un insolent soupir quand il se retournera pour lancer l'*ite missa est.*

Le dernier Evangile chasse les hommes, vers les buvettes. Le cantique chasse les femmes, vers les causettes de la grand-place. Le doyen s'en va, la barrette sur la nuque. Reste le chapelet, facultatif pour les dévotes, obligatoire pour nous. J'hésite une seconde, puis brusquement je passe devant ma voisine. Sœur Sainte-Anne, l'organiste, qui récolte les partitions, peut me jeter un regard indigné ! Déjà, poussant le portillon de la sainte table, je pique droit sur la sacristie.

☆

Le doyen a déposé sa chasuble et son étole. Il retire son aube et dans l'effort qu'il fait pour la glisser par-dessus sa tête, sa soutane, entraînée, laisse voir une culotte à boucle enfoncée dans des bas de laine noire. Enfin il émerge de la dentelle en clignant des yeux.

« Que veux-tu ? » dit-il, étonné.

Rougissons, car je n'en sais rien. Un enfant de chœur, qui renfile sa veste, pouffe dans un coin. Il faut bien balbutier :

« Je suis venue vous demander conseil...

— Ce n'est guère l'heure ! bougonne le curé en tirant sa montre. Je n'ai encore rien dans l'estomac. Enfin, viens. »

Le dos rond sous le camail, il me précède dans le couloir qui fait communiquer la cure et la sacristie. A la porte, il se retourne.

« Mme Méliset va mieux ? » demande-t-il, poliment.

Ai-je bien entendu ? Rien d'étonnant à ce qu'il soit déjà au courant du mariage et de la maladie de Maman : tout se sait très vite dans un bourg. Mais comment peut-il, lui aussi, l'appeler Mme Méliset, employer ce nom que, professionnellement, il doit plus que tout autre lui contester... ? De ses petits yeux très noirs aux paupières ourlées de rouge par la blépharite, le doyen m'observe d'un certain air, à la fois engageant et pénétré. Il a déjà tout compris, il assure la transition dans les formes requises par la réserve ecclésiastique et comme je ne réponds pas, il ajoute d'une voix lente :

« Evidemment, c'est fâcheux. »

La porte s'ouvre et, dans l'autre pièce — une salle à manger au carrelage frais lavé, qui sent l'eau de Javel — une paternelle main tombe sur mon épaule.

« Bien fâcheux », répète le doyen.

Le ton est plus sec, la sévérité remodèle son visage. Je n'ai plus qu'à enchaîner :

« Justement, je venais vous demander ce que je dois faire et quelle attitude... »

Seconde surprise : la barrette oscille, de droite à gauche. Le doyen réplique, avec vivacité :

« Quelle attitude ? Il n'y a aucune attitude à prendre. Tout au plus quelques précautions. Tu es la dernière qui aies le droit de juger. Tu restes d'abord ce que tu es : la fille de ta mère. »

Il s'est assis sur la première chaise venue. Il observe le bout de ses souliers avec autorité.

« Je comprends bien tes sentiments, ma petite fille ! »

Il a de la chance, car moi je ne les comprends plus. Mon âpreté même m'inquiète. Quelle est cette intransigeance qui s'indigne de ne pas trouver en face d'elle assez d'indignation, qui espère encore de véhéments conseils ? Le bonhomme ne lève pas les yeux. Il hoche la tête et je vois changer, trois ou quatre fois de suite, l'expression qui fait jouer le réseau compliqué de ses rides prolongées dans le cou par des fanons de peau sèche, mal rasée, qui cardent son rabat. On y lit l'embarras d'avoir à trouver des formules et l'agacement d'un vieil homme d'église, à qui suffisent les soucis courants du ministère et qu'excèdent ces problèmes imbéciles, si faciles à éviter quand on a ses commandements dans la tête et dont pourtant la faiblesse humaine semble se faire une coquetterie, comme les blés de leurs coquelicots.

« Avant tout, murmure-t-il, il ne faut pas... »

Il ne dira pas ce qu'il ne faut pas faire. Mais sa main libre esquisse un geste, repousse quelque chose dans l'air. Le mauvais zèle. L'inspiration de celui qui, n'est-ce pas, emprunte parfois la voix des anges pour mieux égarer les cœurs purs. Et soudain je le comprends, je me comprends, je me détourne pour regarder à travers la fenêtre à petits carreaux les grappes de chasselas qui pendent de la treille, encore enveloppées dans leurs sachets de cellophane... Hypocrite ! Tu ne fais pas du cas de conscience, Isabelle ! Il est bien question de scrupules, Isabelle ! Ce bonhomme, tu es tout bêtement venue l'embaucher. Tu es venue forcer l'oracle, chercher un allié qui te dise : « Vous avez raison, ma fille. Combattez. Faites tout ce qu'il vous sera possible pour rompre cette union. »

Mais non, Isabelle, non, fais-en ton deuil, on ne te l'a pas dit. Cet excellent doyen chevrote, chevrote, pour te suggérer tout autre chose : de la prière et encore de la prière, une dévotion accrue à la Sainte Vierge, la communion fréquente, une patience à toute épreuve et cette douce fermeté dans l'accomplissement quotidien des devoirs d'état qui vaut en elle-même autant que par l'exemple... La porte grince, par bonheur, et stoppe l'homélie. Le vicaire apparaît : cet intrépide en béret basque dont la moto fonce sur le droit chemin et dont la moderne éloquence secoue si fort les filles coupables d'aller au bal ou les fermiers assez audacieux pour risquer leur âme — et leur bail — en envoyant leurs enfants à la laïque. N'est-ce pas lui qui aurait dit à notre plus proche voisine,

Mme Gombeloux : « Sur ces familles qui ont acheté jadis des biens du clergé, il semble planer une malédiction. Si j'étais Mme Duplon, je ferais mon bilan : la ruine, un père tué à la guerre, un mari perdu, une fille anormale... C'est trop, pour s'exposer encore aux représailles de Dieu ! » J'ai eu tort. C'est l'abbé que j'aurais dû consulter.

Cependant, le doyen relève les yeux, échange un coup d'œil avec son vicaire qui s'avance de son grand pas sec, dans un jaillissement de soutane.

« Cette pauvre Isabelle, dit-il, est venue me voir.

— Oui, répond l'abbé, la voilà dans une fichue situation. »

C'est tout. Déjà il a traversé la pièce, vers la cuisine d'où s'échappe une odeur de ragoût de mouton. Un bruit d'eau m'apprend qu'il se lave les mains. Le doyen fait craquer ses jointures pour se mettre debout. Son sourire, qui a pris de la distance, me signifie mon congé. Je lâche très vite :

« Mais comment dois-je l'appeler, lui ? *Mon père,* c'est impossible. *Monsieur,* à la longue, ce sera difficile...

— Tu pourras peut-être l'appeler par son prénom. A vrai dire, cela n'a pas grande importance. »

Nouvelles phrases. Voyons, Isabelle, il ne s'agit pas de s'embarrasser de détails, quand l'inestimable est en jeu ! Dans une situation qui compromet si gravement la vie spirituelle, l'essentiel, c'est de la sauvegarder. Prière, prière, confiance en Dieu... Lui-même, pasteur attentif, ne manquera pas de se joindre à mes intentions. Pas demain, car il a une messe d'enterrement, ni mardi, car il célèbre un mariage, mais mercredi ou jeudi.

Ce disant, le doyen s'est rapproché du bouton de cuivre. Sa lèvre violette, qui pend sous les derniers chicots, bouge encore, pour ajouter que, tout de même, si malgré la présence de cette excellente Mme Mériadec les choses s'aggravaient au point de mettre ma foi en danger, il faudrait...

☆

Il faudrait probablement revenir, pour implorer son prudent soutien. Mais, sur ce conditionnel, la voix du doyen s'est éteinte. Quittons ce vieillard, aussi désarmé que moi-même, pour retraverser le couloir et la sacristie. L'église est vide ; il n'y reste plus qu'une sœur grise, qui tourne vers moi sa cornette blanche, soupire et laisse choir les paupières avec charité. Sur la place, ce sera bien pis. Il ne pleut plus et la moitié du village stationne, picorant les nouvelles. Comment supporter les regards de tous ces paysans endimanchés de noir et figés dans l'attentive immobilité des corneilles. Leur silence m'enveloppe de toutes parts et je me tasse, honteuse, comme si brusquement je me découvrais bâtarde. Dans un instant, quand j'aurai atteint le premier tournant, ce silence va derrière moi crever en murmures. J'y repense et j'ai tort, mais après tout, c'est vrai : si le responsable avait une once de tact, il serait venu me chercher, il m'offrirait au moins sa voiture et cette maigre contrepartie : la considération qu'inspire un long capot.

A tes souhaits, Isabelle, si cela te console ! La voilà justement qui s'avance, fendant les populations, ta Vedette. Sursaute, balancée entre la satisfaction de voir tes vœux comblés et le dépit d'étouffer un grief. On a presque pensé à toi et c'est Maurice lui-même, l'imbécile, qui croit nécessaire de préciser :

« Profitez-en, Isabelle, je sors de la pharmacie. »

VII

COMMENT me souvenir sans confusion de cette dernière quinzaine de septembre durant laquelle il fut parmi nous comme ses clients doivent l'être devant leurs juges ? Maman gardait la chambre, moins fiévreuse, se plaignant surtout de douleurs vagues, de maux incontrôlables et, seule l'éruption qui lui rongeait le visage m'empêchait d'affirmer qu'elle jouait à la malade pour gagner du temps, pour nous habituer les uns aux autres. Mahorin, deux fois revenu — et toujours aussi réservé avec Maurice — s'était du reste tortillé la barbe en prenant connaissance des résultats de l'analyse.

« Un peu d'albumine et des cylindres, ce ne serait rien si tu étais comme tu l'espères. Mais je suis sûr maintenant que l'aménorrhée n'est, aussi, qu'un symptôme. Je ne sais pas de quoi d'ailleurs. »

Pour une fois, il avait lâché un terme savant : par pudeur, comme un casuiste se réfugie dans le latin. Une chose devenait certaine, cependant : il n'y avait pas d'enfant et Nat, qui ne décolérait pas, me répétait au moins six fois par jour : « Pour rien, elle l'a épousé pour rien. C'est tout de même trop bête ! » Il ne lui venait pas à l'idée que Maman et Maurice eussent pu s'épouser pour un autre motif. Sa philosophie de la passion était aussi courte et ronde que son chignon : « A vingt ans, on s'aime par en haut et ça fait le bon mariage. Après, ma fille, on ne s'aime plus que par en bas, on s'accroche par accident. Des fois, on refait sa vie, je ne dis pas, ça peut être raisonnable quand les idées et les intérêts s'engrènent bien. Mais ce n'est pas le cas et, de toute façon, ce n'est plus de l'amour. »

Qu'était-ce donc alors qui rendait si brillant le regard de Maman, le soir, quand retentissait le premier coup de klaxon ? Pourquoi ce tressaillement, cette hâte à repousser son livre, à saisir une houppette incapable de camoufler ses boutons ? Pourquoi, dès l'entrée de Maurice, ces agaçantes mines, ces chutes de voix, ces tentatives pour happer une main qui n'était plus jamais la mienne ? Et pourquoi croyait-il nécessaire, lui, d'accueillir complaisamment ces bêtises ? S'il était déçu, il cachait bien son jeu et j'avais encore dans les oreilles ce qu'il avait, à deux mètres de moi, murmuré au docteur Mahorin :

« C'est dommage ! Voilà qui aurait bien arrangé les choses, à La Glauquaie. Enfin, ma femme se rétablira plus facilement. »

Elle ne se rétablissait guère. Mais lui s'installait et j'avais toutes les peines du monde à l'empêcher d'entrer plus avant dans notre intimité. On se trompe souvent sur ces premières attitudes que dictent la politesse ou le souci d'observer son monde. Sans être envahissant ni même particulièrement habile à déboutonner les gens, Maurice avait au moins des réflexes de robin habitué à faire figure devant toutes sortes de clients. Déroutant comme un avocat, justement — et cela, d'autant plus qu'il se sentait lui-même dérouté — il oscillait entre plusieurs méthodes. Au débotté, c'était le grand compréhensif, qui croit mettre à l'aise le consultant en s'identifiant à lui et dit « nous » à la troisième réplique. Tenu à distance, il réintégrait la gravité et, entre deux silences, vous feuilletait l'âme comme un dossier, avec des minutieux battements de paupières aggravés par un léger tic de la lèvre supérieure. Mais un sourire un peu trop tiré de biais avait assez vite raison de lui et il devenait enfin ce qu'il était : un long garçon châtain habillé de gris, peigné à droite, aux gestes mesurés, mais dont la voix prenait de l'accent tandis que son regard, jusqu'alors exilé loin du vôtre, passait brusquement à l'offensive. Bien entendu, ce vrai Maurice, acculé en quelque sorte au naturel et se retournant pour tenir tête, était de loin le plus dangereux.

☆

De cette humeur soudaine et de la franchise qu'elle lui donnait, par accès, Maurice m'avait donné une idée, dès le premier dimanche. Nous étions rentrés, assis sur nos banquettes respectives : moi derrière, aussi raide qu'une passagère de taxi, lui devant, emmoustaché d'un aimable sourire comme un chauffeur qui soigne son pourboire. Nat, qui nous attendait, alarmée par son rôti, nous pria de passer à table et Maurice ne battit pas en retraite vers la chambre de Maman. Il ne s'étonna point d'être placé à la droite de Nathalie, en invité. Il inclina la tête, décemment, quand elle récita le *benedicite*, en l'appuyant d'un immense signe de croix. Il ne fit pas remarquer que la viande n'était pas salée et lorsque j'étendis la main vers la salière, il me devança pour me la présenter. Prévenance et discrétion. La conversation, tout de même, languissait. *Le pain, s'il vous plaît. Merci, Monsieur. Encore un peu de veau ?* Les anges passaient et repassaient, tirant de l'aile entre nos monosyllabes. Notre père de famille, trouvant l'atmosphère un peu fraîche, passa le relais à l'avocat :

« Nous ne sommes pas bavards ! » dit-il, en appuyant sur le pluriel.

On ne lui répondit pas. La rose forcée de son sourire se referma, puis s'épanouit de nouveau, méritoire, tandis que de vraies chevrotines, des petits pois mal cuits grêlaient dans les assiettes. Indifférent, Maurice avala cette mitraille et, trouvant insuffisant ce sourire qui meublait désespérément le vide, entreprit de meubler aussi le silence. Un bourdonnement poli s'éleva, couvrant celui des mouches qui tournaient autour du lustre de cuivre. Le baromètre, disait-il, venait de descendre d'un bon degré. Il fallait s'attendre à un grain, ce qui ferait bien l'affaire de M. Méliset, car chacun sait que le poisson *mouve* beaucoup et donne aisément dans les nasses, pendant l'orage. Pourtant ce serait ennuyeux, car les malades y sont sensibles et Maman, particulièrement nerveuse, devait l'être plus que tout autre.

« Ça va tonner, Nat, ça va tonner ? J'aime pas ça ! » dit Berthe, la bouche clapotante et barbouillée de sauce.

On hocha gentiment la tête, en la considérant. Et en ajoutant que, pauvre Maman, c'était en tout cas une malchance insigne d'être dans cet état en un tel moment. Nat, aussitôt, sauta sur l'occasion.

« Vous savez, elle n'a jamais eu de santé et elle n'a plus vingt ans ! » dit-elle en saisissant une pomme.

Le sourire, une fois de plus, disparut pour reparaître au bout d'une bonne minute, accompagnant un geste empressé. Je venais de réclamer la carafe.

« Merci, Papa. »

Nat souleva une paupière, étonnée, puis la rabaissa très vite, édifiée. Le mari d'une femme qui n'a plus vingt ans est un homme qui n'a plus vingt ans. Si « Monsieur » tenait le sire à distance, « Papa » faisait vieillot, exagérait l'âge de ses artères. La carafe oscilla au-dessus de mon verre, renversa un peu d'eau sur la table. Le sourire et le soliloque s'éteignirent tout à fait, scellés par une moue qui ne laissa plus passer un mot jusqu'à ce que Nathalie ait débité les grâces. Alors seulement partit la contre-attaque. Maurice fit trois pas vers Berthe et saisit les coins de la serviette nouée autour de son cou en oreilles de lapin.

« Enlève donc ça ! » dit-il, sans brusquerie, mais avec fermeté.

Puis il se tourna vers Nathalie, l'œil froid et du sérieux plein la bouche :

« Dites-moi, madame Mériadec, il y a une question un peu délicate dont vous voudrez bien m'excuser de vous toucher un mot. J'en parlais ce matin avec Isabelle et elle est bien d'accord. Vous avez eu la bonté de l'aider depuis des années, à peu près pour rien. Maintenant qu'elle en a les moyens, elle trouve, comme moi, qu'il serait malhonnête de notre part, sous prétexte que vous faites partie de la famille, de ne pas reconnaître votre dévouement... »

Nathalie frémit dans ses jupes, mais resta court. Comment parer le coup, si bien enveloppé dans les formes ? « Je ne veux rien, je ne demande rien ! » bafouilla-t-elle, en ramassant en hâte une pile d'assiettes sales. Sa haute coiffe, pointée en avant comme une corne, fonça vers la cuisine. Maurice eut la cruauté de la suivre jusque dans le couloir. « Mais si, mais si, répétait-il. Nous aurions des scrupules. Nous calculerons tout ça, madame Mériadec. » Quand il revint, à longues enjambées d'homme sûr de lui, il me retrouva dans le fauteuil de grand-mère, un tricot sur les genoux. Je tripotai nerveusement les aiguilles sans m'apercevoir que l'une d'elles venait de tomber. Il se baissa pour la ramasser.

« Hérisson, tu perds tes piquants ! » dit-il en la plantant dans ma pelote.

☆

Simple repartie d'homme agacé. Grondement de matou qui sort à demi la griffe, mais craint plus que tout de s'en servir. Une heure plus tard, il était de nouveau benoîtement enroulé dans son poil et ronronnait des gentillesses. Pourtant l'avertissement avait porté et je m'en aperçus bien, les jours suivants. Nathalie, prudente, battait en retraite, évitait les heurts en se contentant de bouder dans un coin. « C'est qu'il serait capable de me fiche dehors ! » finit-elle par m'avouer, au bout de la semaine. Elle avait à peine confiance en Maman incapable, selon elle, de la défendre. Elle restait aux petits soins, bien sûr et il suffisait de la voir agiter furieusement les potions ou, d'un pouce terrible, malaxer certain baume de sa composition pour comprendre à quel point elle était partagée entre l'envie de gémir : « T'as mal, ma belle ? » et celle de lancer : « Dame ! C'est de là-haut qu'on te punit. »

En fait elle ne lâchait que la première phrase et ravalait sa seconde, comme elle ravalait sa salive devant Maurice en restant sur la défensive. Pour l'offensive j'étais seule, car je ne pouvais guère compter sur Berthe, ce bon caniche prêt à aboyer sur commande contre n'importe qui, mais aussi vite couché aux pieds de l'intrus pour peu que son odeur lui devînt familière. Oui, j'étais seule et pratiquement sans moyens. Parfois même sans courage. Ce n'est pas du tout déprimant, ce serait plutôt assez exaltant d'être toujours sur le qui-vive, d'y aller constamment de la dent comme d'autres y vont de la lèvre. Mais rien n'est pire que de se sentir désarmé et, désarmée, je l'étais de toutes les façons. De l'intérieur d'abord : lutter contre Maurice, c'était lutter contre Maman et rien ne devait être tenté qui pût la blesser en même temps. Je ne pouvais même pas souhaiter sérieusement leur séparation, qui eût soulevé un drame dans la chambre bleue. Tout au plus pouvais-je aider Maman « à ouvrir les yeux », comme disait Nathalie. Mais sur quelles vérités, capables de la dégoûter d'un bonheur qui était tout de même un bonheur ? Et de quelle façon, à peu près propre et ne ressemblant pas trop à l'affreux petit travail de bec qui fait la joie du corbeau ?

Cette gêne assurait déjà mon impuissance, contrainte de se résigner aux petites piques, aux moues, aux phrases à double sens, à cette sourde malveillance où l'hostilité s'humilie. Que me restait-il, d'ailleurs, pour l'exprimer ? Très peu de chose. Cet air de ne pas avoir l'air qu'on a et qui proclame le saint effort qu'on fait pour supporter une insupportable situation. Cette piété de protestation, toujours sur la brèche et récitant bien haut la prière du soir (usage abandonné depuis la mort de grand-mère) pour provoquer un indifférent, agacé par ces bigoteries et pourtant assez délicat pour souffrir à l'idée que sa seule présence insultait à nos convictions et que nous étions capables de le croire résolu à nous imposer les siennes. Ce souci d'affirmer à tout propos des opinions aussi blanches que le tuf de la maison pour faire pièce à ces Méliset, roses comme les tuiles de La Glauquaie (et dociles à ce curieux réflexe qui, dans l'Ouest, engage souvent l'argent à se caser à gauche, pour s'excuser en quelque sorte d'exister, tandis que la pauvreté vote volontiers à droite, parce que ça fait honorable).

Restaient aussi l'agacerie, la mesquinerie, la persécution mineure. Tousser dès que Maurice allumait une cigarette. Recenser ses plats favoris et ceux qu'il détestait, pour supprimer ceux-ci et multiplier ceux-là. S'il allait au village, pousser dans la voiture une souillon de Berthe, glorieusement hirsute et dépoitraillée. S'il parlait de ses affaires, l'écouter à peine, avec un déférent ennui, pour me lancer le plus vite possible dans un papotage où il n'ait point de part. Jouer les follettes, les délivrées qui vont enfin danser en rond, pour saluer sa sortie ; ou les graves, les consternées, dont le rire casse tout net à son approche. Ne lui demander ni avis ni service, attentive seulement à le négliger, à l'oublier, à le traiter comme un accident, un épisode, une giboulée dans notre ciel...

Du moins essayer qu'il en soit ainsi. Car j'exagère : ce n'était qu'un fragile programme. Quand on ne peut rien contre la présence d'un être, cette présence même le fortifie contre nous, lui donne le temps de se créer des racines. Maurice s'installait chaque jour davantage. Il avait déjà ses heures : départ à neuf pour son cabinet, rentrée à vingt annoncée par trois coups de klaxon au dernier tournant. Il avait son rond de serviette, son placard et il disait « mon garage » en parlant de notre remise. Il osait faire des projets, envisager l'installation d'une baignoire, la réparation des toits, raisonnables bienfaits contre quoi je ne pouvais m'insurger, bien que ce fût là un vrai sacrilège, un changement imposé au décor même et signant son passage à La Fouve. Enfin et surtout Maurice m'opposait de plus en plus un mur de courtoisie à peu près sans brèches : un mur parallèle à mon mur et couronné de fleurs, en somme, comme le mien l'était de tessons. Ignorant mon attitude, ne daignant s'apercevoir de mes légers sévices que si son prestige lui semblait compromis, il gaffait de moins en moins, se retenait, retournait sa langue dans sa bouche pour riposter à coup sûr, le plus rarement possible. Encore le faisait-il sans aigreur, en employant la boutade ou des formules vagues, qui lui permettaient de décrocher aussitôt, de conserver le bénéfice de la sérénité. Le plus souvent, mon nom seul suffisait, prononcé avec une sorte de tristesse ironique :

« Isabelle ! »

Intimidée, maintenue à distance de toute querelle, réduite aux miettes de l'insolence, j'enrageais. Je le répète, je ne me souviens pas sans confusion de cette quinzaine. Je me revois au bord de l'Erdre, solitaire, véhémente et passant ma fureur sur ces pierres plates qui, lancées d'une main sèche, ricochent longuement sur l'eau avant de s'enfoncer entre les nénuphars. Je me revois, arpentant notre bois et me griffant les jambes à ses ronces menacées — qu'*il* se proposait de livrer à la faucille. Je me revois, la nuit, rôdant dans la maison obscure et me dirigeant du bout des doigts, rassurée, ravie de pouvoir dire, rien qu'en effleurant la cloison, à quel endroit de la pièce je me trouvais, de reconnaître la commode invisible à l'odeur du bois de rose, de penser qu'*il* ne pourrait pas le faire, qu'il ne savait pas encore la place de chaque chose dans les armoires ni celle de nos dates dans nos souvenirs, qu'il était chez moi, chez ma mère et non chez lui... Ravie une seconde, oui, mais aussitôt étranglée de dépit en songeant qu'il dormait pourtant dans ce lit où nous ne pouvions plus, au petit matin, nous couler près de Maman, la rousse à droite, la blonde à gauche, pour accabler de baisers ses protestations et attendre, crochetant du genou, pointant du nez, toutes emmêlées dans la même chaleur, l'irruption de Nathalie portant haut le plateau du café au lait et fidèle à son cri :

« Bien sûr qu'elles sont là, les maudites ! »

Il y était maintenant, le maudit ! étalé de tout son long, content de lui sans doute, jouissant de son droit et de son dû, plein d'indulgence pour cette enfant difficile qui finirait bien par le comprendre ! Car c'était là le pire : qu'il fît du charme, ce magnanime, qu'il déployât assez de patience pour s'assurer le beau rôle et rendre la position intenable à cette maigre rebelle refoulée par des sourires et des avances dont elle n'était même pas sûre de n'être pas un peu flattée !

Et je remontais, soulevant ma chemise pour grimper l'escalier dont je comptais les marches afin de ne pas faire crier la sixième. Sur le palier dont le lino rafraîchissait mes pieds nus, je m'arrêtais quelques instants. Nat soufflait comme une forge, en face, dans la chambre grise. A droite, sous *leur* porte, filtrait un mélange d'odeurs : celle du parfum de jour, celle de la crème de nuit, troublées par le cuir de Russie. J'hésitais, je tendais hâtivement l'oreille. On ne chuchotait rien, d'ordinaire, et j'espérais bien ce silence. Car une fois, une seule et suffisante fois, j'avais entendu ce soupir :

« Je t'avoue, Isabelle, je ne sais plus comment la prendre, ta rouquine... »

Et je m'étais retrouvée, honteuse, ulcérée, dans la chambre des filles — la « chambre rose » — où Berthe dormait, moite et fleurant la sueur, une jambe pendante dans la ruelle des lits jumeaux.

VIII

SEIZIÈME jour, affirmait ce matin le pot de géranium baignant dans une soucoupe dépareillée, sur le rebord de ma fenêtre, et où je plante, chaque soir, comme le veut une vieille coutume maléfique du coin, une allumette à demi consumée. Le charme est lent, mais il opère ! Maman s'est levée ce matin à dix heures, elle est descendue déjeuner, elle est restée tout l'après-midi avec nous et, en l'absence de Maurice qui postillonne pour le compte d'un sardinier mécontent de ses huiles, nous aurions pu nous croire revenues à la belle époque. Plus de veston dans la salle, mais seulement quatre corsages. Nul baryton creusant ces phrases sérieuses qui donnent à l'air ce goût de tabac, mais quatre voix pointues, vivaces, faufilant de la causette sur la pointe de la langue, entre deux bouts de chanson. Quelle bonne détente ! Quel repos de pouvoir parler recettes, lessive ou couture sans faire bâiller le monsieur de la dame, de pouvoir soulever ma jupe et remonter mon bas sans avoir à me détourner, à surveiller son coup d'œil. Mais surtout quelle âpre joie de recouvrer notre dolente pour nous seule et toute à nous, de l'entourer, de la presser, prisonnière tendre, enchaînée à ce bracelet-montre qui, l'an passé, fut mon cadeau de fête et qui de nouveau marque mon heure !

Seizième jour : le meilleur depuis longtemps. Il y a bien, sous la pile de linge certaines chemises que j'ai repassées en accumulant les faux plis et, sur la desserte, cette paire de gants oubliée dont la pointure n'a rien de commun avec nos six et quart et qui rappelle une forte main, où le poil court jusqu'au milieu de la phalange. Mais comme ces gants sont vides de cette main, la salle, ce soir, est vide de celui qui s'en sert. Elle est redevenue pleine de nous, de choses familières. L'armoire de merisier rouge, le bahut de saint Yves, taillé au couteau, sert de pendant à saint Guénolé, le portrait de grand-père, la corbeille à ouvrage, tout est en place, comme le sont dehors les arbres à demi dépouillés dont les feuilles haillonnent au vent, mélangées aux derniers oiseaux, aux lueurs molles d'un soleil bas. Berthe, de ses doigts gourds, défripe des torchons que Nat reprise en croix, tandis que j'achève d'ourler une combinaison neuve. Maman tâte ses pommettes où les boutons semblent vouloir sécher, regarde la corbeille et dit, satisfaite :

« On va être à jour, ma parole !

— Oui, fait Nat, c'est bien la première fois. »

Elle se tait, car j'ai tiré mon fil d'un coup sec. Une mouche est tombée dans le sirop ! N'allons pas glorifier le responsable de ces loisirs qui nous permettent de mieux travailler pour nous depuis que nous ne travaillons plus pour les autres. Mon lointain vrai père, qui a sauté sur l'occasion d'interrompre la pension de Maman, continue, Dieu merci, à payer celle de ses filles. L'idée que notre soupe doit quelque chose au beurre de La Glauquaie m'est insupportable. Mais Maman précise, candide et ravie d'ajouter ce fleuron inattendu à la couronne de l'usurpateur :

« Encore une chose que nous devrons à Maurice ! »

Allons, nos grâces sont courtes, désormais ! Nous étions bien, nous étions épanouies, jupe contre jupe, en famille. L'allusion gâche tout. Sur la desserte les gants vides ont repris de l'importance ; ils ont l'air de saisir, de tenir quelque chose.

Une demi-heure passe, qui n'a plus la même saveur. Le silence émousse des crissements d'aiguille et de lointaines rumeurs d'auto. Puis, soudain, Maman se redresse ; un doigt au-dessus de l'oreille, elle soulève ses cheveux :

« Tu as entendu ? » demande-t-elle.

J'ai entendu. Une voiture a corné, qui n'est pas, qui ne peut être celle de Maurice, mais sans doute une autre Vedette. Chose étonnante, c'est Maman, ce n'est pas moi qui me suis trompée : l'infime différence de son qui sépare deux avertisseurs de la même marque ne m'a pas échappé. Pourquoi notre robin rentrerait-il si tôt ? Ponctuel, il rentrera bien plus tard, à son heure, après avoir corné les trois coups rituels qui feront crier Maman, restée debout malgré nos remontrances « pour lui faire une surprise » :

« Cette fois, c'est bien lui ! »

C'est lui, Maman, tu as raison. Je n'aime pas du tout ta façon de prononcer ce pronom, qui sait devenir lumineux dans la bouche d'une femme. Je déteste cette faiblesse qui retrouve des forces pour se porter en avant et jeter les deux bras au cou du Maurice de tous les jours, soigné, correct et — avouons-le — assez « bien de sa personne » pour faire honte en ce moment à ta robe de chambre et à ton eczéma. Pourtant un rien me console : si jamais un homme m'intéresse, j'ai l'impression que j'aurai le cri plus sourd, mais l'ouïe plus fine.

IX

Enfin ce que je redoutais le plus arriva : une tentative de rapprochement assortie de propositions d'armistice. Depuis une semaine, je la voyais venir. Les attentions de l'ennemi se multipliaient. Les « Isabelle ! » devenaient des « Voyons Isabelle ! » accrocheurs et tendus vers la réplique, que j'évitais, souvent de justesse, pour ne pas fournir à Maurice l'occasion d'amorcer le dialogue. Riposter, tête haute, ne me tentait que trop. Mais je savais bien que, tête basse, il est souvent plus facile de faire front : quand ses arguments sont faibles, la bouderie se soutient mieux que l'éclat. Et mes arguments étaient faibles.

Faibles, parce qu'ils n'étaient pas, comme ceux de Nathalie, fortement campés sur des principes qui sanctifiaient sa jalousie ; parce que cette insistance, qui semblait m'accorder tant d'importance et proclamer que, mes épines tombées, La Fouve ne serait plus qu'une délicieuse oasis, ne laissait pas indifférente ma vanité ; parce qu'il y avait dans cette pression même quelque chose de plus qu'un souci de concorde, une espèce d'option, d'intérêt, aiguillonnés par ma mauvaise grâce, un désir de me vaincre assez ému de mon hostilité pour l'émouvoir autant qu'il l'inquiétait. Faibles enfin, parce que Maman était debout maintenant, toujours présente entre lui et moi, avec ses moues, ses mines, ses regards suppliants, ses petits silences réprobateurs, son parti pris d'user ma hargne à la lime douce.

Je n'en étais que plus acharnée : mais d'une façon sournoise qui me dégoûtait de moi. Contractée, repliée sur moi-même, je les fuyais tous les deux, je filais à la cuisine sous le moindre prétexte. J'allais me réfugier dans le giron de Nat pour lui grincer chaque fois la même rengaine. Lippe dessus, dent dessous, elle m'écoutait, elle touillait plus vivement ses sauces ou piquait du couteau pour énucléer les points noirs des patates. Je pouvais être tranquille de ce côté-là : Nathalie ne pardonnerait jamais à celui qu'elle appelait devant moi « l'autre » les cent mille francs dont il l'avait gratifiée, ni les comptes qu'elle devait désormais tenir sur un carnet soumis une fois par semaine à son examen, ni la suppression d'un excès de coussins tous confectionnés par elle au long des âges et témoignant d'un très vieux faible pour la tapisserie, ni surtout les sentiments du bourg où la seule estime qu'elle appréciât — celle qui prend sa source aux bénitiers et alimente la salive des saintes femmes — tarissait complètement pour faire place au vénal empressement des boutiquiers. Mais Nat ne me soutenait pas longtemps, vite confuse et déchirée entre ses rancunes et ses craintes, sans doute alliées au remords — plus léger — d'attaquer son prochain et de soutenir la révolte d'une fille. Elle branlait de la coiffe, elle disait : « Laisse donc ! Ne te ronge pas les sangs. Puisqu'il n'y a rien à faire... » et, au besoin, me plantait là pour aller dans l'appentis râper à grands coups de brosse les draps qui marinaient dans le cuvier à lessive (protestation muette, du reste, car elle résistait à l'offre d'une machine à laver).

Alors je m'enfonçais dans le bois parmi les feuilles mortes, encore bruissantes ; je descendais jusqu'à l'Erdre, déjà limoneuse et gonflée. S'il pleuvait, je m'enfermais dans ma chambre, le nez sur mon éternel tricot ; j'attendais le bruit libérateur, le grognement du moteur qui signalait le départ du beau-père et me permettait de redescendre sur la pointe des pieds, de me glisser auprès de Maman, furtive et m'étirant comme une chatte qui sort enfin de dessous un meuble.

« Où t'étais ? Où t'étais ? » jappait Berthe.

Maman ne disait rien, levait une paupière, glissait une main sur mes cheveux, sur mon épaule où saillait la clavicule. Car j'avais maigri de deux kilos, mes jupes tournaient autour de ma taille, mes taches de rousseur ressortaient de plus belle sur une peau criblée comme un œuf de vanneau. Je me traînais. J'étais à bout. Plus agressif, plus roulé en boule que jamais, incapable de se détendre, le hérisson n'en pouvait plus...

☆

Maurice s'en aperçut-il ? Je ne le crois pas : les hommes n'ont pas d'antennes pour ces sortes de choses et prennent pour de l'énergie, chez les femmes, ce qui est la suprême ressource de leurs nerfs. Le hasard, sans doute, décida, fit d'un samedi ordinaire ce samedi particulier, où il ne se passa rien en apparence et qui pourtant demeure pour moi une date.

Ce jour-là, brandissant serpe et faucillon, deux journaliers étaient arrivés que Maurice avait aussitôt dirigés sur le bois et, le nez sur les vitres, je les avais regardés de loin faucher les herbes folles, massacrer les ronceraies. J'étais hors de moi. Ainsi, il ne suffisait pas qu'un étranger se fût imposé dans la famille, il fallait encore qu'il défigurât La Fouve. Ces halliers à couleuvres, ces touffes truffées de gîtes, ces buissons pleins de vieux nids feutrés de crottes, ces faux sentiers contournant le moindre sureau, j'en connaissais depuis toujours le rassurant désordre, l'âpre fouillis sans cesse renouvelé et dévalant la butte jusqu'au marais où nénuphars, sagittaires et roseaux prenaient le relais. Les coups de serpe me tailladaient bras et jambes. Bientôt je n'y tins plus et, ramassant mes cheveux dans un foulard, noué sous le menton, je me lançai dans le parc.

Pour quoi faire ? Je me le demande encore. De toute façon je n'aurais pas eu l'audace de renvoyer les ouvriers. Mais Maurice le crut peut-être ou bien, voyant son monde rassemblé dans la salle, estima l'occasion propice pour un tête-à-tête. Toujours est-il qu'abandonnant le dossier, ramené de Nantes pour occuper son week-end, il sortit à son tour en criant :

« Attendez, Isabelle, j'y vais aussi. »

Sans me retourner, je pressai le pas, obliquant à gauche pour contourner la clairière qu'agrandissaient peu à peu les journaliers. Puis je me mis à courir ou, plutôt, à sautiller de place en place en me faufilant à travers les branches.

Derrière moi, le beau Maurice, plus lourd, s'enfonçait dans la mousse en la faisant chuinter. Sûr de me rattraper, il allongeait seulement ses enjambées, il feignait de me suivre dans une promenade commune. Sous le gros châtaignier dont les bogues à demi éclatées jonchaient le sol, il parvint enfin à ma hauteur et dit sévèrement :

« Pourquoi laisser perdre ces châtaignes ? Il y en a au moins un sac. »

Et c'est alors que je m'entendis répondre, avec stupéfaction :

« J'aimais mieux les mûres. »

☆

Aigre et maigre réplique. Réplique tout de même, suffisante pour lui permettre d'enchaîner... Les mûres ! Ma foi, non, il n'y a pas pensé. Ce n'est pas très fameux, à son avis, même en confitures et, du reste, les amateurs ont plus vite fait de planter dans leur jardin cette variété américaine à gros fruits qui se cultive comme le framboisier. De toute façon, il fallait couper les ronces : elles étouffaient les baliveaux.

Une pause met la suite en valeur. On ajoute savamment :

« Je sais bien que La Fouve... la fauve... c'est un nom qui sent le fourré. Encore qu'il ait perdu un *r !* Car jadis, je l'ai lu sur un vieil acte, on disait *La Fourve* et dans ces conditions la véritable étymologie doit être *la fourvoie,* la mauvaise route, le chemin de terre comme il y en a tant par ici et où si souvent les charretiers s'égarent. »

Nouvelle pause. Une main glisse, ambassadrice d'un bras qui passerait volontiers sous le mien, pour faire ami, pour continuer en bons copains la petite balade. Je serre le coude. La main remonte, indécise, et Maurice s'en sert finalement pour se gratter le cou, à la hauteur de ce grain de beauté dont je me suis dit plusieurs fois qu'il rend véreuse sa pomme d'Adam. (Plaisanterie douteuse, mais utile. Une certaine malignité du regard nous est bien secourable : chercher le détail ridicule, au besoin l'inventer, c'est un moyen très sûr de se garder d'un être.) Mais presque aussitôt la pomme bouge. Maurice avoue, dans un creux de gorge :

« Et il se pourrait bien, en effet, que je me sois fourvoyé. »

Fourvoyé ! C'est bien ce qu'il a dit, notre Ténorino ! Il s'appuie sur moi du regard, puis des deux mains, qui tombent sur mes épaules. Je ne l'avais pas encore remarqué, il a les yeux marron. De ces yeux, si communs, comme des châtaignes, on remplirait tout un sac. Mais je ne trouve pas de formule qui moque bien sa précieuse raie, ce sillon de peau saine, très blanche, bordée de cheveux bien nourris et absolument exempts de pellicules. Pour arriver à ce résultat, Maman les passe à la petite brosse, mèche par mèche, pendant une heure. Contrairement à elle et malgré la barre sérieuse qui traverse le front, Maurice fait, vu de très près, plus jeune qu'à distance. Et ces dents sont à lui qu'il découvre en précisant :

« Soyons francs, Isabelle : ça ne va pas fort entre nous. »

Ça irait même très doucement. Mais l'affaire, hélas ! semble déjà moins grave. Il n'est pas du tout question de Maman. S'il s'est « fourvoyé », ce n'est qu'à mon sujet. Il s'en explique très vite, d'une voix très proche qui sent le tabac :

« Ça ne va pas fort, et je vais vous dire pourquoi. J'ai d'abord cru que vous m'étiez hostile pour des raisons religieuses. Elles ont joué, je ne l'ignore pas, surtout chez Nathalie. Mais vous n'avez jamais été bien gênée par le divorce, qui a permis le remariage de votre mère. Et bien que vous ne soyez plus une enfant, que vous sachiez très bien ce qu'il en est, vous ne semblez pas non plus vous être beaucoup formalisée des... sentiments... déjà anciens, qu'elle me portait. »

L'hésitation sur le mot sentiment, décent, mais un peu faible, l'a obligé à ravaler un peu de salive. Il continue, avec plus d'assurance :

« Pour comprendre, je n'ai eu qu'à vous regarder vivre. Vous êtes une tribu de femmes, une famille d'abeilles vivant pour sa reine et serrées autour d'elle. Moi, je suis l'affreux bourdon. Vous n'oseriez pas le dire ni peut-être même le penser, mais consciemment ou non vous ne me pardonnez pas d'avoir aboli votre monopole. Ce qu'on me donne, on dirait qu'on vous l'ôte ! Pourtant je ne vous prends rien.

Nous nous chauffons autour du même poêle. Vous ne croyez pas, Isabelle ? »

Il a presque tout deviné, mais ses comparaisons clochent. Plût à Dieu que sa rencontre avec Maman fût restée aussi brève que le vol nuptial dont meurt le bourdon ! Quant à son poêle, c'est une image bonne pour ceux qui se chauffent à la passion d'autrui, mais qui jamais ne sauteraient dans le feu pour en devenir le combustible. Les pieds au chaud, le cœur au frais, Maurice serait-il un tiède ? Le plus simple est de lui demander :

« Pourquoi avez-vous épousé Maman ?

— Vous le savez bien. »

Je le sais en effet, maintenant. Il ne l'a pas épousée. Il a été épousé. Il a loyalement consacré l'incident, légalisé une habitude. Un ardent aurait répliqué : « Pourquoi ? Mais parce que nous voulions faire notre vie ensemble, parce que nous nous aimions. » Il aurait peut-être ajouté : « D'ailleurs, nous pensions avoir un enfant », mais il ne se serait pas contenté de cette excuse. Maurice doit le sentir lui-même, puisqu'il ajoute, tardivement :

« J'aime beaucoup votre mère, vous savez, et si je ne l'ai pas épousée plus tôt, c'est qu'elle hésitait, à cause vous. »

S'il croit me faire plaisir, il se trompe. Mais je suis rassurée : loin d'ajouter au verbe aimer, « beaucoup » le diminue. Si Maman pouvait en dire autant, ce serait parfait. Mais de ce côté-là, je le crains, l'aventure est tout autre. « En amour, disait grand-mère qui se croyait une expérience — il y en a toujours un pour être prisonnier de l'autre, qui l'est à son tour de ses sentiments. Le plus libre des deux n'est pas celui qu'on pense, mais c'est bien lui qui a la meilleure part. »

Et je rêve de la lui ôter ! Quelque chose en moi s'agite et balance, comme le sapin dépenaillé qui nous domine et qui, après chaque rafale, revient contre le vent. J'ai froid aux pieds. Les mains de Maurice pèsent lourd sur mes épaules. Effaçons-nous, repartons au hasard. La pente qui devient plus raide et surtout cette forte odeur d'herbe rouie m'apprendra bientôt que nous approchons de l'eau, encore invisible derrière les arbres. Toujours galant, le tentateur écarte les branches sur mon passage et murmure :

« Tout est allé trop vite. Nous nous sommes retrouvés ensemble avant même de nous être habitués à cette idée. Mais vous verrez, Isabelle, nous sommes faits l'un pour l'autre. Je ne demande qu'à vous rendre heureuse. Je suis déjà certain de pouvoir vous assurer une vie plus large et plus facile. »

On dirait qu'il parle à ma mère, cette autre Isabelle, qu'il récite des phrases qui ont déjà servi. Voici l'Erdre, très jaune et où tournoient de remous en remous de longs amas de feuilles.

« Soyons amis, tu veux bien, Isabelle ? »

Isabelle voudrait bien, mais un peu plus loin, le courant recreuse l'anse où vous avez débarqué, tous les deux, avant de vous enlacer devant elle. Ce tutoiement l'alarme, qu'il suffirait pourtant d'accepter pour connaître la paix. Elle voudrait réagir et ne trouve pas de mots. A ses pieds l'eau est trouble et, comme elle, brassée sans raison. Ne vous mordez pas les lèvres, Maurice, ne vous énervez pas. Ne vous croyez pas humilié à l'idée de vous être mis en frais pour rien, de n'avoir pas réussi à tirer le plus maigre oui de cette fille qui, pensez-vous, se bute à plaisir ou s'amuse à se faire prier, à jouer les coquettes, avec son teint de passoire et son poil roux.

« Alors, c'est non ? »

Mais non, Maurice, ce n'est pas non. Ce n'est ni oui ni non. Je ne sais pas, je ne sais plus. C'est une malchance pour vous, pour moi, pour tout le monde, que vous soyez justement ce qu'il vous convient si peu d'être : le mari de ma mère. A part ça, vous êtes un bon garçon, sérieux, bien tenu, pas mal fait, plein de bonnes intentions et qui aurait dû se trouver une jeune fille un peu plus âgée que moi, un peu moins âgée que Maman, pour baguer sans histoires une vraie Mme Méliset. Ecoutez, Maurice...

Mais Maurice ne m'écoutera pas. J'ai ouvert la bouche trop tard. Il n'est plus derrière moi, il est parti en grognant : « La petite mule ! »

Il ne se retourne même pas, il remonte vers la maison, en foulant d'un grand pas coléreux les touffes de gaillet dont les petites graines crochues vont s'agripper par dizaines à ses bas de pantalon. Il a eu tort. J'allais lui dire que, tout compte fait, si je suis son adversaire, je ne suis pas son ennemie.

☆

Il a peut-être raté une autre occasion. Si j'en crois Nat renseignée par les on-dit du bourg, quand au retour de La Bernerie, Maurice est allé présenter Maman à La Glauquaie, maître Ténor l'a fichu dehors après une scène si vive que ni l'un ni l'autre ne savent plus comment raccrocher. Or justement voici qu'apparaît la barque verte, nonchalante et portant sur l'onde un gros homme, hérissé de gaules et suçant d'un air renfrogné une courte pipe à clapet.

Après le fils, le père. La barque avance au gré du flot, en longeant les roselières où il n'est pas pourtant recommandé de risquer une ligne à la traîne. Autre anomalie : ce juriste, président de la « Canne Nantaise » et que j'ai vu maintes fois rejeter fort civiquement au bouillon des prises qui ne faisaient pas la taille, ose pêcher à la dandinette sur bord réservé. Il est vrai que c'est le nôtre et l'attention que lui prête maître Méliset, jointe à l'indifférence singulière qu'il manifeste pour ce qui se passe dans son dos, semblent indiquer qu'il associe son expérience de l'halieutique à ses débuts dans l'espionnage. A-t-il entendu la voix de Maurice ? A-t-il aperçu un bout de robe, entre les saules ? Il passe sans lever les yeux, sans cesser de tremper du fil, dans un couloir d'eau presque morte où son bateau pousse du ventre en écartant des algues molles. Mais sa langue doit le démanger. Le scion se redresse, tire la soie, la fouette plus loin et, satisfait de l'excuse qu'il s'est offerte pour relever le menton, maître Ténor feint de me découvrir. Du coin de bouche que n'encense pas la pipe, il bougonne :

« Ça va ?

— On fait aller, merci. »

Mon enthousiasme, digne du sien, n'a pas l'air de lui déplaire. Comme le bateau glisse insensiblement, je fais un pas, puis deux, pour me maintenir à sa hauteur. Le flotteur, qui descend aussi, avec cinq mètres de retard, ne semble guère tiraillé.

« Votre vif doit être mort, monsieur Méliset. »

Le bonhomme me lance un coup d'œil où il y a, cette fois, de la complicité. La pipe lui tombe de la bouche dans la paume. Il répond très haut et pourtant sans conviction :

« J'ai dû le piquer trop près de la tête. Tant pis ! Je n'en ai pas d'autre... »

Suivent des considérations sur la fragilité du gardon d'automne. Mais sa voix s'étouffe. Le bateau, qui file toujours, s'efface derrière un écran de saules qui ne laisse plus voir que l'extrémité frémissante d'une gaule. Puis celle-ci disparaît à son tour. Un grincement de tolet, un léger clapotis m'annoncent qu'on dérame, doucement, pour se mettre en travers et regagner le courant. Je n'ai plus, moi, qu'à repartir vers la maison.

☆

Pour trouver tout le monde rassemblé autour de Maman qui se tient la tête et claque des dents. Berthe, assise par terre à ses pieds, lui bégaie des choses. Nat lui tient le poignet droit. Maurice lui tient le poignet gauche.

« Encore un accès de fièvre ! » me jette-t-il, avec un noir coup d'œil, comme si j'en étais responsable.

Mais son regard rencontre le mien et s'éclaire, étonné de mon sourire.

X

MAHORIN revint le soir dans la voiture de Maurice, parti à sa recherche et qui fut obligé de le poursuivre de ferme en ferme pour interrompre sa tournée. Reléguant Berthe, trop bruyante, à la cuisine, devant une boîte de gâteaux, j'étais restée auprès de Maman dont la température montait en flèche, tandis qu'une nouvelle éruption lui envahissait les épaules, les bras, les mains et posait sur le haut de son visage un affreux placard en ailes de chauve-souris, une espèce de loup rougeâtre et pustuleux. Les tempes en feu, les coudes et les genoux douloureux, elle se plaignait du ventre, des reins, de partout. Nat, qui remontait toutes les dix minutes de sa cuisine pour glisser dans l'entrebâillement de la porte une tête de catastrophe, m'affolait moi-même en me glissant dans l'oreille les pires suppositions :

« Elle pourrait bien nous faire une scarlatine. Si t'étais raisonnable, tu devrais me laisser avec elle. Tu ne vois pas que tu l'attrapes ? »

Ou encore :

« Plus j'y repense et plus je trouve que ça ressemble au zona de la mère Cruet, qui a perdu les yeux...

— C'est toi, Maurice ? » demandait Maman, heureusement trop fiévreuse pour être tout à faite consciente.

Alors Nathalie s'éclipsait en grondant : « Maurice, bien sûr ! On se ronge les moelles pour elle et c'est à l'autre qu'elle pense ! » Elle redescendait sur la pointe de ses charentaises pour aller surveiller son bœuf mode et sans doute réciter sur ces doigts des séries d'*ave* entrecoupées d'invocations aux divers saints responsables de la santé du monde. L'angélus avait déjà sonné et de lointaines sirènes hurlé dans les fumées de l'horizon nantais. Je ne savais plus quoi faire pour tromper mon angoisse et comme jadis, au temps où dévorée de varicelle j'avais droit de coucher près de Maman, je recomptais les bleuets de la tapisserie alignés par rangées de trente-sept, nombre premier d'autant plus indivisible qu'un trente-huitième bleuet, coupé en deux par l'encoignure, l'encombrait d'une fraction.

Enfin une porte battit, Mahorin tapa des

pieds, jeta son cri et pénétra dans la chambre en répétant :

« Alors, alors, tu récidives ? »

Il s'approcha du lit, se pencha vers ma mère et tout de suite, à la densité de son regard, au soin qu'il prit de se composer un air neutre, je compris que cette fois il savait et que ce qu'il savait était grave. L'air s'épaissit autour de moi. Nat et Maurice, retenant leur souffle, s'avançaient sans bruit, raides comme des statues de bois qui tanguent au-dessus des fidèles dans les processions.

« Voulez-vous une serviette, docteur », murmura Maurice.

Mahorin fit signe que non. « Eh bien, ma fille, récitait-il pour occuper sa malade, tu peux dire que tu boutonnes et que tu fleuris ! Enfin, il vaut toujours mieux que ça sorte ! » Cependant il avait saisi un bras, retroussé la manche de chemise et, sous couleur de tâter un pouls trop rapide, examinait le dos des mains, le dessus des doigts, criblés de taches vineuses à centre blanc. Le placard du visage fut ensuite inspecté avec cette attention faussement distraite, dont, seules, sont capables des prunelles de médecin. Puis sur un « Bon ! » anodin, il se redressa.

« Je dois être jolie ! gémit Maman, essayant de se soulever.

— Assez ! fit Mahorin, la repoussant sur l'oreiller. Mais, tu sais, tout le monde s'en moque et, de toute façon, ce n'est pas le moment de fausser les glaces. »

Dieu merci, elle n'était pas assez vaillante pour aller se planter devant celle de l'armoire et j'avais discrètement éloigné le miroir à trois faces devant quoi se rasait mon beau-père. La voir dans cet état, ma Belle, m'était déjà pénible. Non, tout le monde ne s'en moquait pas. Il n'y avait pour s'en convaincre qu'à regarder Maurice dont toute l'attitude trahissait l'effort qu'il faisait précisément pour ne pas se trahir. Pauvre galant, au cœur vite soulevé ! Avant d'y avoir réfléchi, je me retrouvai à genoux au bord du lit, les lèvres sur cette joue que son mal rongerait toujours moins fort que mes baisers. Mue par la même pensée — ou le même défi — Nat avait traversé la pièce et, en face de moi, tenait dans ses deux mains la main de Maman, la tapotait, la malaxait avec passion.

« Nat ! Isa ! Si j'étais contagieuse... protesta Maman.

— Absolument pas ! fit Mahorin, catégorique. J'aime autant, remarquez, qu'on ne soit pas toujours en train de lécher et de relécher mes malades. Je suis de l'avis de mon père qui disait : « Les infusions leur réussissent mieux « que les effusions. » Mais je ne voudrais pas troubler ce charmant tableau de famille... »

Il forçait son talent, le brave homme. Il avait de toute évidence une peur bleue d'être interrogé trop tôt et manœuvrait vers la porte en reculant à petits pas. Comme Maurice ouvrait la bouche, il se hâta d'ajouter :

« Si vous n'y voyez pas d'inconvénient et pour en avoir le cœur net, je reviendrai dans la soirée faire une prise de sang. Excusez-moi, je n'ai pas déjeuné, il est plus d'une heure et ma consultation ouvre à deux.

— Je vous reconduis », dit Maurice filant sur ses talons.

J'hésitai une seconde : si Maurice avait un prétexte, je n'en avais pas. Rien n'est plus démoralisant pour un patient que l'empressement de ses proches à passer derrière la porte pour interroger le médecin. Mais Nat se mit à renifler.

« Si mon bœuf n'est pas brûlé, dit-elle, nous aurons de la chance. Ce n'est pas Berthe qui...

— Je vais remettre de l'eau sur le couvercle », dis-je aussitôt, en prenant soin de border Maman, de remuer un ou deux objets et de traîner un peu avant de sortir.

☆

Je retrouvai le docteur assis devant la console du vestibule, où attendaient son stylo et son bloc. Sévère — jamais il n'avait pu sourire devant Maurice — il parlait à mi-voix, sans lever le menton et mon beau-père l'écoutait, fiché en terre. A mon approche, il s'interrompit pour me faire subir ces quelques secondes de silence embarrassé qui permettent de laisser entendre aux gens qu'on va se décider à leur faire de pénibles révélations. Contrairement à la plupart de ses confrères qui, comme les juges, aiment faire attendre et se mettent volontiers à plusieurs pour condamner le client, Mahorin appelait rarement un spécialiste à son secours et lâchait le morceau à la famille dès qu'il était sûr de son fait. Il y mettait seulement les formes.

« Je disais à M. Méliset, reprit-il enfin, qu'il n'y a pas lieu de s'affoler. Ces choses-là se soignent très bien maintenant.

— Mais de quoi s'agit-il ? » demanda Maurice, en même temps que moi.

Mahorin prit son stylo et griffonna trois lignes, avant de répondre :

« Il s'agit d'une affection assez rare. Je n'en ai pas rencontré, dans toute ma carrière, plus de cinq ou six cas, le plus souvent sous une forme incomplète qui rend le diagnostic malaisé. Je n'y avais même pas pensé l'autre jour. Mais l'éruption de la face a pris un aspect caractéristique... »

Trois nouvelles lignes lui permirent d'assurer une pénible transition. Puis il baissa la tête pour ajouter :

« J'aimerais mieux me tromper, d'ailleurs... »

Et il se mit à écrire, avec application, le reste de son ordonnance. Le crissement de sa plume envahit la pièce. Mon soutien-gorge était brusquement devenu trop étroit. Je respirais de l'ouate, mélangée à l'odeur âcre du bœuf mode qui brûlait réellement dans la cuisine. Mahorin lâcha un autre bout de phrase :

« C'est sérieux », dit-il.

Il signa, plia l'ordonnance et se mit debout pour en finir :

« C'est sérieux et ça porte un vilain nom, qui prête du reste à confusion : car il y a lupus et lupus...

— Un lupus ! » jeta Maurice, horrifié.

Nathalie qui descendait à son tour, attirée par l'odeur de brûlé, reçut le mot en pleine figure et s'arrêta sur la dernière marche pour porter la main à son cou et délacer le cordon de sa coiffe. Mahorin essayait vainement de préciser, de dire qu'il ne s'agissait pas de ce que nous pensions, de ce mal hideux qui creuse un trou de rat en plein visage, mais d'un lupus exanthématique, tout différent et n'ayant rien de commun avec l'autre. Gêné par sa franchise, il avouait lui-même que, moins spectaculaire, il était aussi moins curable malgré la cortisone qui, depuis quelque temps, faisait des miracles. Je n'entendis guère que le mot « miracles » et ce qu'il contient de hautement improbable. Effrayé, passant aux formules rassurantes, Mahorin se tournait vers moi. Entendait-il ainsi réserver sa pitié à la fille, au chagrin innocent, pour la refuser au faux mari, moins digne d'intérêt, puni en somme par où il avait péché ? Un instant, je me laissai traverser d'une pointe empoisonnée, j'acceptai comme une revanche le destin de cet homme lié à cette femme défigurée au lendemain de ses noces. Mais aussitôt l'indignation m'envahit, m'emporta. D'un tel châtiment ma mère était d'abord victime, alors que Maurice n'en serait, lui, vraiment accablé que dans la mesure où il l'aimait, c'est-à-dire en raison du meilleur de lui-même. La pointe pénétrait plus avant, me fouillait au plus noir, crevant la poche de fiel. Il était devant moi, blême et le regard lourd de compassion. Je me trouvai abominable et j'en eus, soudain, le cœur soulevé.

« Isa ! » cria Nathalie.

Ils firent tous un pas vers moi en me voyant hoqueter. Mais Maurice était le plus proche et ma main, lancée vers la première épaule venue, ne refusa pas de s'accrocher à la sienne.

XI

Les jours suivants, la fièvre oscilla avec de brusques chutes suivies de nouvelles pointes ; le placard s'incrusta, s'étendit, compliqué d'auréoles, de taches blanchâtres, rosâtres, lilas fané ; l'éruption gagna la poitrine, se dissémina sur tout le corps, tandis que Maman sombrait dans une torpeur moite, entrecoupée de plaintes que lui arrachaient de violentes douleurs aux reins.

Ce dernier signe, surtout, inquiétait le docteur Mahorin qui n'osait rien tenter avant d'avoir les résultats de l'analyse confiée à un laboratoire de Nantes et retardée par le week-end. Il était revenu le samedi soir, le lundi matin, le mercredi après-midi et ce fut presque avec soulagement que le jeudi, en l'absence de Maurice, il put enfin annoncer :

« Je ne m'étais pas trompé : c'est bien ce que je vous avais dit. »

Phrase redoutable, que pourtant je supportai bien. La sereine ignorance de jadis devient impossible ; les dictionnaires de médecine, dès qu'un diagnostic a été avancé, sont là, dans presque toutes les maisons, pour accabler de détails l'inquiétude du profane dont l'imagination brode et va toujours au pire. Nous nous étions jetés sur le *Larousse médical,* et ce que nous avions lu au sujet de cette maladie dont la *forme aiguë est trop souvent fatale* nous avait terrorisés. Mais la certitude étourdit l'angoisse : rien ne peut plus l'aggraver, rien ne peut plus la dépasser, sauf l'espérance, aidée par ce sentiment que nous avons tous d'être plus fort en face d'un danger précis. Je ne sourcillai pas lorsque Mahorin sortit sa seringue en ajoutant :

« Je vais lui faire une première injection. Il n'est que temps... »

Il monta, fit sa piqûre et se retira, nous laissant seules, Nat et moi, autour de Maman. Depuis le début, nous ne la quittions guère, nous relayant pour les travaux ménagers réduits à l'indispensable. Nous restions presque toute la journée près de son lit, immobiles, alignant sur son couvre-pied d'interminables réussites ou poussant l'aiguille sans conviction, mais tout de suite redressées et tendues vers elle chaque fois qu'elle geignait en murmurant un nom — neuf fois sur dix, celui de Maurice. Berthe, reléguée dans la cuisine, en profitait pour piller le buffet et nous l'entendions de loin torturer la seule chanson qu'elle ait jamais pu retenir et dont elle semblait maintenant faire hommage à Maurice quand il rentrait :

Papa, les petits bateaux
Qui vont sur l'eau
Ont-ils des z'ambes...

Le *z* était de rigueur, comme la patiente exclamation de Maurice, vers huit heures et quart :

« Jambes, Berthe, jambes... Et change un peu de disque, je t'en prie. »

Il n'en changeait guère lui-même et la suite ne variait pas. La porte du vestibule grinçait comme lui seul, faute d'en connaître les gonds, osait la faire grincer ; la mauvaise latte du parquet craquait dans l'escalier comme lui seul, faute d'en connaître la place, osait la faire craquer, et nous voyions apparaître Maurice, sa raie, sa serviette de cuir, son pli de pantalon. Il disait : « Bonsoir, ma chérie ! » d'une voix unie, contredite par ce tic qui faisait aussitôt sauter sa lèvre supérieure ; il allait droit au lit, jetait un coup d'œil sur la fiche de température, un autre plus bref et comme peureux sur le visage de sa femme et se penchait pour l'embrasser rapidement, très haut, dans les cheveux. « Ne parle pas, repose-toi ! » ajoutait-il en lui arrangeant son oreiller ou en remontant sa couverture, avec une sollicitude calme ou contenue ou déjà résignée. Puis il reculait, un doigt sur les lèvres et murmurait en me frôlant :

« Bonsoir, ma petite Isa. »

Alors je répondais : « Bonsoir, Maurice » et Maman, essayant sous ses croûtes d'ébaucher un sourire, nous enveloppait d'un regard lointain, satisfait. Maurice ouvrait sa serviette, feuilletait longuement un dossier, l'annotait au crayon Bic, disait enfin :

« Allons dîner, ma petite Isa. »

Et la petite Isa se levait. Docile. Ecœurée d'une gentillesse qui devenait aussi sacrée qu'un médicament et envahissait la maison comme une odeur d'éther. Ecœurée surtout de l'aisance suspecte avec laquelle elle y respirait. La trêve s'imposait, certes. Mais si provisoire qu'elle pût être, à mon sens, c'était un fait que je l'observais sans trop de peine : ni consentante, ni révoltée, mais trahie par cette pente secrète qui fait glisser l'attitude à l'habitude. Le flambeau, maintenant, passait aux mains de Nathalie qui, à l'inverse, perdait de sa prudence. C'était elle, de loin, la plus agressive. L'idée que le doyen, en cas d'urgence, hésiterait à franchir le seuil de La Fouve, lui ôtait le sommeil et, seule, la crainte d'impressionner notre malade l'empêchait de lui en parler. Elle multipliait les allusions, en pure perte. Mais elle avait tout de même marqué un point en réussissant à persuader Maurice de ne plus coucher dans la chambre bleue.

« Une femme dans cet état et qui n'a pas toujours de jolis besoins, vous la gêneriez... Prenez ma chambre. Moi, je vais me dresser le lit-cage, à côté de Belle. »

Et Maurice, décevant, avait accepté. Je dis « décevant » sans être sûre de n'avoir pas mérité l'adjectif plutôt que lui et faute d'en trouver un meilleur pour exprimer au mieux un sentiment fugitif, un léger malaise que je ne saurais expliquer. Comme je ne saurais vraiment expliquer pourquoi Maurice s'était incliné : par délicatesse sans doute, peut-être aussi par lâcheté ou, simplement, afin de pouvoir dormir et rester en forme à un moment où il était surchargé d'affaires. Plus probablement encore pour toutes les raisons à la fois : les bonnes et les mauvaises raisons ne sont-elles pas toujours étroitement solidaires ? J'imagine qu'elles ne devaient pas être moins embrouillées sous la coiffe de Nathalie, très capable de ménager les yeux de Maurice par pitié pour Maman, comme de profiter de l'occasion de lui laisser entendre que son mari se dégoûtait bien facilement d'elle et d'arranger le tout avec sa sainte patronne en lui démontrant qu'elle préparait ainsi une situation « blanche » acceptable pour un confesseur.

☆

Elle fut sur le point de l'avouer le jeudi soir, une heure avant la piqûre. Maman était dans un état effrayant : un demi-coma, traversé de râles, un véritable début d'agonie. Elle ne semblait plus ni voir ni entendre, ne bougeait plus que le bout des doigts, accrochés au drap de tous leurs ongles. Ce dernier détail, qui me rappelait la mort de grand-mère, m'épouvanta et, vers une heure, n'y tenant plus, j'enlevai soudain mon tablier.

« Passe d'abord à la cure, dit Nat, et prends un cache-nez. »

En fait, galopant sur deux kilomètres, j'allai d'abord à la poste pour prévenir Maurice, qui n'était pas à son bureau, mais que j'eus la chance de pouvoir joindre au Palais. « J'arrive ! » hurla-t-il au bout du fil. Je sautai alors au presbytère, mais je n'y trouvai personne : le doyen dînait chez l'archiprêtre, à Ponchateau, le vicaire était parti en hâte ondoyer un nouveau-né trop chétif dans une ferme perdue, et Mme Gertrude, l'impérieuse gouvernante de ces messieurs, se montra si distante que je fis demi-tour sans même lui avoir expliqué le but de ma visite. Intriguée, elle cria quelque chose derrière moi, tandis que je reprenais mon élan pour traverser la place ; mais je ne m'arrêtai pas, je filai d'une traite chez Mahorin qui, d'après mes calculs, devait se trouver chez lui. Il venait d'en partir pour l'hospice, où il achevait une radio et me fit attendre une bonne demi-heure avant de m'embarquer dans sa Juvaquatre.

Les tournants furent pris à une vitesse inusitée, mais le clocher égrenait tout de même ses trois coups quand nous franchîmes le portillon de La Fouve, encadré par deux autres voitures : la Vedette de Maurice et une étincelante Buick du dernier modèle, au pare-brise orné d'un caducée.

« M. Méliset a fait vite ! Et il a trouvé moyen de ramener Travel, un ponte ! » dit Mahorin en claquant sèchement la portière.

Il y avait en effet entre Nat et Maurice un autre médecin dans la chambre : un petit bonhomme fluet, mais plein d'autorité, planté devant le lit où Maman, encore très oppressée, semblait s'être endormie. Il parlait d'abondance, d'un ton froid, appelait *vespertilio* le placard du visage, *pétéchies* les taches du dessus des mains, se lançait dans un petit cours sur les « maladies du collagène » et brusquement se retournait vers Mahorin pour demander « si on avait procédé à la recherche des cellules ».

« C'est fait, dit Mahorin.

— Et positif ?

— Positif. »

Les sourcils de l'homme de l'art se rapprochèrent, un léger claquement de langue exprima sa pensée et son regard fit un tour de pièce comme pour rechercher des élèves et attirer leur attention sur l'intérêt du cas. Puis il pivota vivement sur un talon pour entraîner Mahorin dans un bref conciliabule, près de la fenêtre. J'entendis notre vieux médecin répéter : « C'est fait ! » avec une modestie agacée. Le docteur Travel lui prit le bras, le laissa parler quelques secondes en approuvant du menton, revint enfin vers nous, la bouche arrondie pour l'oracle. Mais il n'en sortit qu'une courte phrase :

« Nous sommes d'accord, dit-il.

— Elle irait mieux, depuis tout à l'heure, dit Nat en me touchant le bras. Nous nous sommes affolées...

— La piqûre agit : elle ira encore mieux ce soir », affirma le docteur Travel.

Dans l'escalier l'éloquence le reprit tandis que l'optimisme l'abandonnait et traînant du talon, à chaque pas, sur chaque marche, il nous mit en garde contre « les espoirs un peu hâtifs qu'avait fait naître l'emploi, toujours délicat, des stéroïdes hormonaux », pour avouer finalement dans le vestibule « qu'après des résultats spectaculaires, trop souvent provisoires, ces produits permettaient au moins de prolonger l'évolution du L.E.D. ». Ceci dit, il se tut brusquement et Maurice mit la main au portefeuille. Mais ni lui ni personne n'eut le courage de réclamer de précisions sur le sens de ces initiales, pudiquement redoutables.

☆

La première prophétie allait, du reste, se réaliser (et nous permettre, pour un temps, d'oublier la seconde). Vers onze heures, comme nous allions, Nat et moi, cesser la veille, le peu de bruit que nous fîmes en dépliant le lit-cage réveilla Maman, qui reposait calmement. Elle battit des paupières, tourna un peu la tête pour dégager une oreille et dit, avec une parfaite inconscience du temps écoulé :

« Il fait du vent ! »

Puis aussitôt :

« J'y pense, Isa, ton père nous fait languir, ce mois-ci : je n'ai pas reçu votre pension. »

Elle allait mieux, certainement ! Et c'était sa vraie voix chantante et modulée du bout de la langue. Je me retiens, pour ne pas lui sauter au cou : mes transports auraient pu lui faire comprendre par quelle crise elle venait de passer. Depuis la veille cependant quelques objets avaient changé de place ; un bouquet de roses de Noël était apparu sur la table de nuit ; et la bouche bée, le sourire béat de Nathalie exprimaient une joie trop insolite, Maman battit de nouveau des paupières, passa lentement sur ses croûtes des doigts tremblants, puis murmura, la bouche crispée :

« Et Maurice ?

— Il dort ! fit Nat, sans pitié.

— Je crois plutôt qu'il travaille », fis-je doucement, sans parvenir à éteindre la lueur d'angoisse qu'elle avait allumée.

XII

Je ne sais plus si c'est le surlendemain ou le jour suivant que j'aperçus en me levant, à l'ordre du réveil, mon géranium fricassé par le gel sur le rebord de la fenêtre où je l'avais oublié, lui et les allumettes de mon « calendrier ». Je m'approchai, haussant des épaules nues : nous n'en étions plus à ces enfantillages et nous avions à jouer maintenant une partie autrement difficile, contre un ennemi autrement dangereux que Maurice ! Maman allait mieux, certes ; quelques piqûres l'avaient littéralement ressuscitée. Mais pour combien de temps ? Et dans quel état ! Reverrions-nous jamais son vrai visage, ce profil de camée, cette peau de pêche faite pour le joue-à-joue ?

Au loin la campagne était toute salée de

givre, le marais, immobile, sous une mince pellicule de glace. Dans la chambre même il ne faisait pas chaud. Une légère buée sortait de la bouche de Berthe, à demi découverte et qui dormait avec son acharnement habituel sans se soucier du réveil, ni même du gros sein mou au mamelon presque plat et couleur de rustine qui débordait de sa chemise froissée. Je tirai sur elle un drap brodé d'un grand M (Madiault, pas Méliset) et jetai ma robe de chambre sur mon dos sans l'enfiler : c'était mon tour de descendre la première, pour ouvrir et allumer les feux.

Mon tour et mon plaisir ! J'aime cette frissonnante corvée dans la fraîcheur humide, dans l'ombre silencieuse où s'enveloppent les objets familiers, à qui la brusque ouverture des volets va donner leur douche de lumière. Il n'est pas d'heure qui exalte mieux les odeurs, qui rende les doigts plus sensibles au grain des choses, légèrement soulevé, comme la chair de poule sur vos jambes. La Fouve, c'était, ce sera toujours pour moi, d'abord, La Fouve du matin, à l'air plus dense, aux murs, aux arbres plus ramassés sur eux-mêmes et comme rétrécis, ramenés à la portée de la main, à la longueur du regard, par les rosées scintillantes de mai ou les grands froids pétrifiés de décembre.

Ce matin-ci se rapprochait de ceux-là. Je trottinai de fenêtre en fenêtre, maniant les poignées d'espagnolette et repoussant sans bruit les contrevents. Malgré moi, une persienne de la cuisine claqua, effarouchant un matou roussâtre qui tordait la gueule, de-ci de-là, dans l'herbe raide de la pelouse, pour se purger à la cataire. Il fila, levant un merle transi qui s'en fut, rayant de noir un paysage blanc et je me rejetai sur la cuisinière dont une rondelle voulut aussi tinter (la moyenne, bien sûr, qui donnait un *do*. La plus petite donnait, à l'octave en dessous, un *sol* discutable et la plus grande, fêlée, ne tintait pas).

Quelques minutes plus tard, les ligots ronflaient sous une pelletée de boulets, et je passai dans la salle pour mettre en torche un vieux numéro du *Courrier de l'Ouest* : l'assemblage de margotins et de bûchettes, préparé d'avance, pétilla sec et je m'assis en tailleur devant un rideau de jeunes flammes qui n'avaient aucun besoin de soufflet. Avant de faire bouillir le lait je pouvais bien m'accorder cette grâce et jouir un peu de ma flambée qui déjà me chauffait le ventre, me rôtissait les genoux, me forçait à me reculer d'une demi-fesse. Mais soudain un faible courant d'air, dans le dos, m'avertit que la porte s'ouvrait.

« Tu fais griller le poulet ? »

Voix connue : celle de Maurice, bien sûr. Il était là, sans raison apparente d'y être si tôt, et glissait sur ses pantoufles, dans un curieux pyjama aux boutons métalliques que le feu faisait briller aussi fort que ses prunelles. Je ramenai vivement ma robe de chambre devant moi.

« Dis-moi, Isa, reprenait-il en s'asseyant, tu ne sais pas où Nathalie range le savon ? Je ne retrouve pas le mien. »

☆

Savon, savon... Comme un petit détail peut prendre de l'importance ! Comme il est difficile de connaître l'instant où le hasard a cessé d'être un hasard pour devenir une occasion, de connaître l'endroit où, cédant à la pente, nous avons, comme le skieur, commencé à l'aider !

Maurice est là, avec un bon prétexte et je me soulève, étonnée de n'y pas croire tout à fait, mécontente de le voir installé dans le fauteuil de grand-mère, de sentir son regard entortillé dans mes jambes et d'être obligée de détourner le mien, offensée par le poil noir qui court sur cette poitrine plus large que je ne pensais et mal contenue par la veste de pyjama. N'ai-je pas raison, d'ailleurs ? Le bon prétexte était trop bon. Il n'en est déjà plus question. Maurice prend la savonnette que je viens de retirer du « placard aux choses qui sentent » (Nat les range à part « pour éviter que les nouilles aient goût de Marseille »). Mais il ne s'en va pas ; il s'étire, passe une cuisse par-dessus l'autre (la droite sur la gauche, je l'ai déjà remarqué) et pointe l'index vers la chaise la plus proche.

« Sisitte, une seconde », dit-il.

Puis le ton change, le tu cède au vous qui lui épaissit encore la salive dès qu'il s'agit de choses sérieuses :

« Je ne suis pas fâché de vous tenir un peu. D'abord je dois vous remercier de l'effort que vous avez fait. Vous ne m'aimez pas follement, follement... »

L'œil en coin quête une protestation, refusée par ma bouche, accordée par ma main, qui fait un petit geste poli, sans doute suffisant puisque Maurice abandonne le vouvoiement :

« Mais enfin, tu es arrivée à me supporter et, puisque maintenant Isabelle nous donne moins d'inquiétudes, je voudrais te faire une proposition. Quatre femmes pour s'occuper d'une maison, ça me semble excessif, même en admettant que la quatrième soit pour longtemps indisponible. A mon avis, tu pourrais travailler...

— Ça, non ! Je ne quitterai jamais La Fouve. »

Maurice ne s'émeut pas. Le bond que j'ai fait lui permet seulement de me happer le bras, au passage.

« Pas question de la quitter... »

Voire ! C'est une chance que l'appartement de garçon, qui flanque son cabinet, soit trop petit pour nous contenir tous et qu'il demeure difficile d'en trouver un plus grand dans une ville sinistrée. Car s'il pouvait supprimer la navette, en gardant La Fouve comme maître Ténor garde La Glauquaie, pour ses samedis, il le ferait sans aucun doute ; et Maman défendrait mal la maison, qui n'a jamais été pour elle ce qu'elle est pour moi : la cinquième personne de la famille, l'aire vivante dont nous sommes les quatre coins. Cependant Maurice insiste, en me serrant le poignet :

« Comprends-moi, je ne peux plus rester sans aide. J'ai à la fois trop à faire pour y arriver seul et pas assez pour m'adjoindre un stagiaire ou une vraie secrétaire. Ce qu'il me faut, c'est une fille un peu vive qui s'occupe du classement, du téléphone, du greffe, de toute cette broutille à quoi je perds la moitié de mon temps.

— Et pour la broutille, vous avez pensé à moi ?

— J'ai pensé à toi, oui. »

Il rit, il m'attire un peu plus près de lui, il devient même habile :

« Ne fais pas cette tête, Isa. Si le mot « broutille » te choque, retirons-le. Dans ce métier où l'éloquence occupe la galerie, mais où l'entregent fait le reste, il n'y a pas de petites tâches et c'est ce qui rend difficile le choix de nos auxiliaires. Réfléchis. Je n'ai ni l'intention ni les moyens de te faire un pont d'or, mais je t'appointerai honnêtement... »

Puisqu'il faut réfléchir, je réfléchis. Je ne fais même que ça, le nez piqué en terre, la bouche cousue. Il faudrait savoir ce qu'il a dans le crâne. Veut-on m'habituer à la grande ville, à ses facilités, à ses plaisirs, me donner le goût d'une autre vie qui me ferait accepter l'abandon de La Fouve ? Est-ce l'avocat, au contraire, qui calcule et suppute ? Une belle-fille, bien dressée, voilà qui peut devenir une collaboratrice de tout repos, présente à toute heure, susceptible d'accepter un salaire honnête, c'est-à-dire mince et du reste aussitôt réintroduit, à part quelque argent de poche, dans une économie familiale en circuit fermé. Pour les questions d'argent, Maurice semble toujours être très « raisonnable » (c'est-à-dire un peu serré, comme les bons raisonnements).

« Je crois d'ailleurs, Isa, que ça te ferait du bien, reprend Maurice. Tu es trop désœuvrée, trop confinée ; tu as besoin de t'aérer un peu. Bien entendu, tu es libre. Je ne t'en voudrai pas si tu te cramponnes aux meubles, ni si tu déclares que tu as bien l'envie de t'occuper, mais non celle de travailler avec moi. »

Que répondre ? Désœuvrée, je le suis depuis peu et il est vrai que cela me pèse. Confinée, je l'ai toujours été ; mais le monde — immensément étendu autour du nôtre — ne m'a jamais tentée. Il ne me tente pas plus aujourd'hui et je ne saurais pas dire pourquoi je me sens aussi capable d'accepter que de refuser.

« Enfin, réfléchis ! » répète Maurice, d'un ton dégagé.

Le voilà debout, lâchant mon poignet pour saisir entre le pouce et l'index un menton rebelle qui tire en arrière. Il m'examine de trop près ; je déteste ses yeux plissés, sa lèvre que retourne un soupçon d'ironie. Il sait, le gros malin, que je balance et que, pour faire dire oui aux hésitants, il importe avant tout de ne pas les laisser dire non, donc de changer de sujet. Le pouce m'abandonne, mais l'index me touche une pommette.

« C'est curieux, Isa, on jurerait que tes taches de rousseurs s'en vont.

— Vous croyez ? »

Maurice sourit, victorieux d'un mutisme qui n'a laissé échapper que deux mots, mais deux mots de trop. Sont-ils assez coquets ! Et assez ridicule la petite satisfaction qui m'a dessoudé les dents ! Pourtant, sous couleur de s'en moquer, Mlle Duplon aggrave son cas :

« De toute façon, dit cette jeune fille, tranquillisez-vous : le crin restera ce qu'il est ! »

Elle secoue, d'un coup de tête électrique, ce crin ardent qu'on dirait fait de fils de cuivre et qui lui retombe sur des yeux verts comme des isolants.

« Allons, dit Maurice, ne cherche pas de compliments. Il y a de très jolies rousses. »

Et il s'en va, jonglant avec son savon.

☆

Remuons-nous, agitons-nous. Remettons une bûche sur ce feu, une nouvelle pelletée de boulets sur celui de la cuisine. Versons le lait dans sa casserole et l'eau dans sa bouilloire, puisque Monsieur prend du thé, comme je prends, moi, du café noir et Maman du chocolat, bien passé, à cause des peaux. On commence à revivre, là-haut. La tuyauterie a des hoquets qui se répercutent de cloison en cloison. La chasse d'eau se déclenche, puis fait chanter son robinet, tandis que le pas lourd de Berthe ébranle le plafond, Nathalie crie :

« Celle-là ! Elle ne nettoiera jamais sa cuvette ! »

Cinq minutes encore pour mettre les bols en place, touiller le cacao, remplir le filtre à petits coups de louche et elles arrivent toutes les deux, l'une chamaillant l'autre :

« Joseph ! Elle sera toujours aussi *maline*. Elle va embrasser sa mère, qui lui demande une glace et elle la lui apporte, la bouche en cœur... Monte, Isa. Belle est dans tous ses états ! »

Je m'envole aussitôt, du vestibule au palier, du palier dans la chambre bleue. Maman est assise dans son lit, devant la glace retournée (celle de ma chambre où j'ai cent fois compté mes « éphélides » et dont continue la désespérante carrière). Je préférerais qu'elle pleure, elle qui avait la larme aussi facile que vite séchée. Mais elle tourne lentement vers moi ce visage qui, il n'y a pas deux mois, était pour nous, la rousse, la blonde et la grise, un orgueil et un exemple et qui, ce matin, semble encore plus ravagé, plus détruit par la révélation de ce qu'il est devenu. Elle ne se plaint même pas. Elle dit seulement, dans le vague :

« Maurice t'a parlé, pour Nantes ? »

Un signe de tête affirmatif, un baiser — très bas, presque sur le menton — ne la tirent pas de l'abîme de réflexions où elle se fige et où je sens que je vais aussi m'enfoncer. Pourquoi Maurice lui a-t-il exposé son projet avant même de m'en avoir fait part à moi, la principale intéressée (il n'est pas encore entré ici, ce matin : donc il n'a pu en parler qu'hier soir) ? A-t-il cherché à se couvrir ? Croit-il que l'opinion de ma mère déterminera celle de sa fille, très capable de se décider toute seule ? Ou suis-je l'apaisement qu'il lui offre, afin de ne pas éveiller sa jalousie ? Voilà deux mois, peu après son arrivée, Maurice a déjà fait allusion à la nécessité d'embaucher une secrétaire et Maman, je m'en souviens, s'est contentée de prononcer du bout des lèvres : « Une secrétaire... Tu crois ? » Elle dit aujourd'hui, sortant des limbes et posant sur moi son regard bleu ciel — la seule chose qui lui reste, avec ce menton d'un dessin très pur —, elle dit :

« Ecoute, il a vraiment trop de travail. »

☆

Qu'il en soit fait comme elle le désire ! Ce soir au dîner mon regard cherchera furtivement celui de Maurice, étonné de ne trouver qu'un homme affable, retranché derrière son assiette et qui mastique en préparant mentalement sa plaidoirie du lendemain. Réserve pour réserve, ce regard se détournera aussitôt : quand les gens sérieux tiennent à montrer qu'ils donnent aux autres le temps de se déterminer, on ne saurait mieux faire qu'en les laissant à leur tour languir dans la discrétion.

Pour peu de temps, d'ailleurs. Nous sommes jeudi, veille d'un premier vendredi du mois que Nathalie, si soucieuse de nos fins dernières, ne peut manquer d'ajouter à la liste de tous ceux qui nous garantissent déjà, cinq ou six fois, l'indulgence de la Bonne Mort. Les salsifis — que nous mangerons un jour par la racine — semblent l'inspirer. Elle lève sa fourchette et tournée vers nous seules, ses filles, dignes des célestes mannes, elle annonce dans le total silence :

« A propos, Isa, n'oublie pas de faire les poches de Berthe, demain : elle serait encore fichue de me grignoter une croûte avant la communion. »

Mais à ma gauche, notre mécréant, qui rentre toujours un peu la tête dans les épaules quand nous parlons de ces choses, la redresse soudain, tandis que Nat, par compensation, se tasse. Car j'ai répondu fort clairement :

« Je ne crois pas que j'aie le temps d'aller à la messe, Nat. Maurice m'emmène à Nantes. »

XIII

Ce ne fut pas un départ à la sauvette ! Toute expédition à Nantes avait toujours donné lieu à des palabres et à des recommandations diverses : depuis que son lointain époux s'y était noyé dans le muscadet et que Maman en avait ramené Maurice, Nantes, pour Nat, c'était Babel et Babylone, un lieu de confusion et d'impudicité. Stupéfaite de ma décision, ulcérée d'avoir été éliminée de toute confidence, elle avait contre-attaqué trois fois : pendant la vaisselle, après la prière du soir et, au petit matin, dans la chambre, où elle fit irruption sous prétexte de fouiller elle-même la pauvre Berthe. La découverte d'un caramel à demi sucé la consterna moins que mon entêtement.

«Il vous embobinera donc toutes ! Je sais

bien que t'es comme ta mère : le dernier qui te cause a raison... »

Ses tirades pourtant ne m'ébranlaient pas. Un peu gênée tout de même, soucieuse de ne pas lui laisser croire à un revirement que je n'admettais pas, je protestais mollement. Pourquoi refuser une occasion intéressante ? Où était le mal ? Et puisque Maman était d'accord... Mais Nathalie secouait son bigouden de plus belle :

« Ta mère... Tu penses ! Ça lui plaît que tu t'affiches derrière son Méliset ! Et lui aussi, ça l'arrange : on dira partout que les filles Duplon sont passées de son côté, qu'elles l'acceptent avec ses sous et sa Vedette. Quant au mal, innocente !... »

Un argument lui restait dans la gorge, qu'elle finit par cracher :

« ... Si les gens qu'il fréquente ont ses idées et les manières qu'il a eues avec ta mère, ce n'est pas un milieu pour une jeune fille ! »

Alors je descendis, ma robe neuve sur le dos, en haussant les épaules.

☆

Elle exagérait ! Ce que l'humeur lâche de trop visiblement faux rend ce qu'il y a de plus vrai improbable et Nathalie aurait dû s'en souvenir mieux que toute autre, elle qui dans son stock de sentences puisait souvent celle-ci à l'usage des médisantes : « A faire un loup-garou, sans en montrer les crocs, tu n'obtiens qu'un mouton. »

Il n'avait pas de crocs, le loup-garou, mais de fort belles dents dégagées par un sourire peut-être un peu trop satisfait. Il avait l'air sûr de son affaire, comme si le nouveau personnage qu'il allait me présenter, le professionnel, ne doutait pas un instant de s'imposer plus facilement que l'homme privé.

Il n'avait pas tort du reste : ce petit rez-de-chaussée de la rue de la Bourse où, après un raid prudent sur la route verglacée, nous pénétrâmes vers neuf heures, c'était le vrai cadre de Maurice, la contradiction du nôtre où rien ne le mettait en valeur, où tout au contraire le diminuait, à commencer par le fait qu'il s'y trouvait chez nous, en hôte forcé. A l'inverse, sitôt le seuil franchi, ces petits atouts dont j'avais joué à La Fouve contre lui, le dépaysement, l'ignorance des aîtres, et cette véritable xénophobie dont semble animé un décor étranger se retournèrent contre moi.

« Ça te plaît ? » dit Maurice plein d'aisance et filant droit sur les portes.

Oui et non, ça me plaisait pour lui, pas pour moi. Il en est des intérieurs comme des vêtements : ce qui avantage l'un fagote l'autre et le genre strict, où l'on respire pompeusement l'espace, désespère les nymphes éprises de leurs tendres fouillis. Ces murs nus coupés de grandes baies voilées, ces masses de bois verni enfoncées de loin en loin dans l'épaisseur de la moquette, ce dépouillement de goût ne flattait pas le mien, habitué à notre cohue de vieux meubles, de bibelots et de cuivres, se renvoyant les uns aux autres dans la pénombre des lueurs connues comme des signaux. Salon d'attente et bureau me parurent froids, impersonnels. Seule, la salle de bains, avec son revêtement de céramique et sa baignoire encastrée, me fit vraiment loucher. Mais la cuisine, si nette, si manifestement inutile, me fit sourire : j'aurais voulu pouvoir y répandre quelques épluchures, y accrocher quelques casseroles à fond brûlé.

« Il y a encore la chambre », dit Maurice.

Je l'inspectai, de la porte. Elle était comme le reste : riche et froide, toute résumée sur un tapis de haute laine blanche qui s'en allait mourir sous la ronce de noyer. Mais je n'avançai pas : mes semelles étaient devenues de plomb. N'était-ce pas sur cette laine que, certains samedis, s'avançaient vers le lit les pieds nus de ma mère ? Battant en retraite, je me retrouvai dans le bureau, devant Maurice qui commençait à se redresser, à changer de voix :

« Ce n'est pas tout ça, Isabelle. Il faut nous y mettre. Asseyez-vous là, à la petite table. Je vais vous montrer comment je procède. Au cas où j'aurais des visites — et il y en a toujours entre dix et douze — vous irez ouvrir, vous introduirez le client et, si je vous dis : « Merci,

Mademoiselle », vous nous laisserez seuls...

— Il faudra vous parler à la troisième personne ?

— Idiote ! dit Maurice qui s'empressa d'ajouter : Plus tard, bien entendu, tu pourras mettre de plus près ton nez dans les affaires. »

☆

Il n'eut pas à dire — ou il n'osa pas dire — « Merci, Mademoiselle » de la matinée. Je classai de la paperasse, dans des chemises de cartoline de couleurs différentes dont chacune avait son mystère. Je bouleversai le fichier avec une maladresse touchante pour chercher des renseignements que Maurice me réclamait avec une non moins touchante patience :

« Société anonyme des Conserveries de Concarneau... Non, cherchez à C. Quel est le nom et le numéro de téléphone de leur conseil ?... Mais non, pas le conseil d'administration, l'avocat ! Il y a un petit *M*e devant son nom, certainement. »

Puis j'introduisis un clerc d'avoué, qui fut vite expédié, un chauve embarqué dans je ne sais quelle affaire de contrefaçon de gaufrette, un couple de forains que je crus négligeable et qui sans sourciller, mais en les recomptant une à une, alignèrent cinquante coupures lorsque Maurice leur réclama une provision. Je ne comprenais à peu près rien aux propos échangés, farcis de chiffres et de références à des faits pour moi obscurs ; je me bornais à transcrire une adresse, une date de rendez-vous lorsque Maurice se retournait pour jeter :

« Notez, s'il vous plaît. »

Le ton était un peu poussé. Mais j'avais beau me dire, en excitant en moi un reste de malveillance, que le sérieux répandu sur son visage le maquillait comme une crème, le fait est que maître Méliset avait une autre allure que le mari de ma mère ! Ce n'était point l'avocaillon souhaité, aussi peu brillant sous l'orme qu'il l'avait été sous notre toit. Son autorité, sa compétence — bien qu'incontrôlables — faisaient leur petit effet, m'inspiraient une réticente estime, une certaine crainte et surtout de l'irritation : elle avait eu bonne mine, à La Fouve, cette donzelle lancée dans une ridicule guérilla et poursuivant à coups d'aiguilles un homme assez fort pour se permettre quelque faiblesse envers elle et ne lui opposer qu'une cuirasse de sympathie !

C'est pourquoi le geste un peu rapide de Maurice, raflant les billets du forain pour les mettre sous clef dans son tiroir, m'avait soulagée : il n'était pas mauvais qu'il eût ce travers-là. Comme il n'était pas mauvais qu'il eût de la complaisance envers lui-même et saisît le récepteur pour crier dans l'ébonite chaque fois que grésillait le téléphone.

« Ici, maître Méliset... »

Ah ! Maître, quel réconfortant accent circonflexe sur ce titre qui s'abrège en *Me !* Il était midi moins trois et je songeai une seconde qu'il serait bon parfois, pour rassurer la sotte, de meugler sa filiale ironie. Mais surprise aussitôt par une autre moi-même en flagrant délit d'enfantillage, doublé d'ingratitude (l'enfantillage comme l'ingratitude, pourtant, quel repos !), je baissai le nez sans rire et Maurice raccrocha en décrétant avec une inlassable sollicitude :

« Bon, allons déjeuner. Cet après-midi nous irons au Palais, je plaide à trois heures et j'en profiterai pour vous piloter un peu partout... A propos, j'ai oublié de vous dire que je vous donnerai quinze mille francs par mois et qu'à partir de lundi vous iriez deux heures par jour chez Pigier pour apprendre à taper. »

Dans le vestibule il se déraidit, alla jusqu'à m'aider à mettre ma veste de lapin.

« Ce n'est pas assez chaud, dit-il, en palpant la maigre fourrure. Par le froid qu'il fait, tu devrais porter un manteau. »

Il n'avait jamais eu l'air plus paternel. Mais dans la Vedette, comme je m'installais près de lui, ma robe se releva très haut et ce fut l'insistance de son coup d'œil, rivé à ma boucle de jarretelle, qui m'en avertit. Je rabattis ma robe aussitôt et mon regard mit le sien en déroute, avec une innocence sensible à son pouvoir.

XIV

Et voici que pour la seconde fois j'éprouve de la confusion. J'aime me croire entière et logique ; je déteste me souvenir de ces eaux troubles, de ces remous qui ont empêché un moment ma vie de couler tout droit. Je sais bien qu'il me reste contre eux un recours : celui de l'anguille qui s'envase sous la crue et sait attendre la fin de l'hiver pour sortir des fonds. Mais comment oublier celui-là ?

Décembre, janvier, février. Le marais pousse jusqu'au cormier, l'abandonne, remonte et redescend, survolé de nuages fous et de canards tournoyants qui ne savent plus s'il faut piquer au nord ou au sud. Le temps hésite entre la pluie, la neige et le vent. Maman hésite entre l'un peu mieux et l'un peu moins bien, Maurice entre le tu et le vous, Nathalie entre la hargne et la résignation. Et du pavé luisant de Nantes aux glaises détrempées de La Fouve, de la salle au bureau, de la chambre bleue au cours Pigier où trente filles se cassent les ongles sur des claviers de l'Underwood, je vais, je viens, indécise et ne sachant pourquoi je suis si satisfaite d'être mécontente de moi.

De moi et, bien entendu, de tout le monde. De ma sœur vraiment trop lente à comprendre qu'il ne faut plus dire « Monsieur Bis » en clignant, stupide comme une poule, de son gros œil rond. De Nathalie vraiment sans charité, pressante, crochetant sans cesse vers le reproche, l'aigre allusion à ma défection, ou au contraire murée, grognant des choses derrière son dentier et me laissant seulette comme une petite fille au piquet. De Maurice vraiment trop différent de lui-même, ni beau-père, ni patron, ni ami, un peu tout à la suite, un peu tout à la fois, sans compter les fugitives apparitions de ce quatrième personnage trop gentil pour n'être pas galant, mais noué comme son nœud de cravate, correct jusqu'aux racines de sa raie et souriant du même sourire devant ma mère ou devant moi.

Du même sourire. Ce qui s'allume vacille souvent dans la lueur de ce qui s'éteint. On commence avant même d'achever d'en finir et la vie continue, qui substitue sans cesse et ne fait pas de cassure. Comment savoir ? Comment prévoir ? Et de quoi même se souvenir qui mérite d'être avoué ? Ce qui nous explique, ce ne sont pas tellement ces grandes scènes qu'instinctivement la mémoire — cette rouée — a choisies et qui sont, à notre propre usage, nos images d'Epinal. Mais il faut bien des repères et j'en vois quelques-uns...

☆

Cette salle de tribunal correctionnel, d'abord. Le président interroge l'accusée : une jolie tireuse qui n'en est pourtant pas à son coup d'essai. Maurice, qui trouve le civil plus rentable, a été commis d'office. Il bâille, se cure un ongle à l'aide d'un autre ongle, donne des coups de menton pour saluer à la ronde quelques confrères. C'est la première fois que je le vois en robe, officiant — sans gloire — à son banc. Son rabat lui donne un air poupin et son pantalon gris qui gode sous la toge ne la rend pas plus majestueuse que son profil n'est romain.

Mais il se lève, calme, avare de ses mains qui restent plongées dans ses manches d'une ampleur ecclésiastique ; il parle et le prétoire se remplit de sa voix, moins sonore qu'efficace, laçant la phrase, la nouant sur l'argument avec une insistance polie qui force l'attention du substitut assoupi derrière sa lampe coiffée d'un abat-jour de porcelaine verte.

C'est encore un autre homme contre qui je n'ai rien.

☆

Puis voici la chambre bleue. Je rentre de Nantes, j'ai devancé Maurice qui gare sa voiture et, pour la protéger du gel, étend des couvertures sur le capot. Nat se détourne à peine, continue à supputer les chances qu'elle a de placer la dame de cœur dans la dernière file de sa réussite, étalée sur le couvre-pied. Berthe réclame des bonbons que je lui ai promis. Maman, qui serait plutôt dans un bon jour, abandonne un de ces affreux petits romans qu'elle affectionne, m'accable de menues questions. Qu'avons-nous mangé à midi ? Suis-je contente de mon travail ? Combien de visites dans la journée ? Ai-je remarqué le ravissant Copenhague que Maurice a le grand tort de laisser sur le guéridon, entre les illustrés, et qu'il faudrait...

Nat s'immobilise, la dame de cœur au bout des doigts. Moi aussi, j'ai entendu parler d'un Copenhague, disparu de La Fouve il y a bien deux ans. Maman change vite de sujet, mais non d'inquiétude :

« Vous recevez aussi des clientes ? »

☆

De quoi a-t-elle donc peur ? Il n'est pas de soir où ses yeux ne m'interrogent comme un fidèle espion. Parfois, je rougis de penser, pour elle, que nous avons dans nos proches la confiance que nous avons méritée nous-même ; parfois au contraire je l'observe, navrée, je songe qu'un homme ne serait pas très coupable de la tromper et ma pitié se partage entre eux, se nuance de sentiments contradictoires où je ne trouve ni l'espoir longtemps caressé de voir s'éteindre leur amour, ni le regret de le sentir affaibli, mais au contraire une satisfaction à les savoir liés — et mal liés — jointe à une insurmontable répugnance à imaginer qu'une autre femme pourrait remplacer ma mère.

Crainte apparemment vaine, d'ailleurs. Qui pourrait mieux l'affirmer que moi ? J'ai l'œil mobile et je suis sans cesse aux côtés de Maurice, qui demeure toujours aussi prévenant envers Maman, se plante des heures entières à son chevet, la comble d'attentions, de bouquets, de phrases.

Le jour de son anniversaire il nous a même donné une leçon. Ni Nat (vous pensez !) ni moi (intéressée par l'expérience et, en cela, plus coupable) ne lui avions rappelé cette date. Cependant au petit matin il s'est trouvé dans la chambre en même temps que nous ; il y est allé d'une jolie formule, il a déballé un premier paquet en disant :

« Ça c'est pour distraire notre malade. »

Un poste miniature, laqué blanc, est apparu sur la table de nuit. Mais Maurice coupait la ficelle d'un autre paquet, beaucoup plus petit et contenant une boîte qui contenait... Etait-il fou ?

« Ça, c'est pour quand elle sera guérie. »

Et Maman a pris le poudrier avec une telle foi que nous en avions tous, Nathalie comme les autres, les yeux noyés.

☆

Bel accord, très provisoire, dans le trémolo. Mais dès qu'elle entendra Berthe imiter sa traîtresse de sœur et dire en toute simplicité : « Voilà Maurice », Nathalie, le cou aussi raide que sa coiffe, lui criera :

« T'as gardé les cochons avec lui ? Tu ne peux pas l'appeler Monsieur ? »

Et Berthe dira « Monsieur » jusqu'à ce que Maman s'en aperçoive et proteste :

« Tu ne peux pas l'appeler Papa ? »

Et Berthe dira « Papa » jusqu'à ce que j'intervienne à mon tour :

« Tu ne peux pas l'appeler Maurice, comme je fais ? »

Et Berthe dira « Maurice » jusqu'à ce que...

☆

Du reste cet époux capable de tant de délicatesse (et quand je dis *tant,* je pense *trop*) n'était pas sans se laisser surprendre. A Nantes je l'avais déjà vu rester court, incapable de décliner mes nom et qualités, devant maître Chagorne, son confrère qui, après lui avoir serré la main, s'inclinait de mon côté :

« Madame Méliset, sans doute ? »

A La Fouve j'allais le trouver assis au chevet de ma mère endormie ou, plutôt, assommée par la dose massive de calmants qu'il avait bien fallu lui laisser absorber pour enrayer une violente crise de névralgies, parallèle à une nouvelle poussée du mal. J'allais le trouver immobile, les coudes aux genoux et le visage contracté par une telle expression de dégoût, d'affreuse attente, que je me précipitai, bouleversée, flamboyante, révoltée à l'idée d'avoir pu désirer cela.

« Chut ! » fit-il, un doigt sur la bouche.

M'étais-je trompée ? Ses traits n'exprimaient plus que tristesse et fatigue ; et j'y cherchais en vain l'ombre, la trace de cet affreux espoir, peut-être inventé par mes yeux.

☆

Mais quel est le regard où nous ne glissons pas la moitié de nos craintes ? Le mien perdait toute confiance, s'inventait un monde ligué contre moi. Pourquoi les gens s'inquiétaient-ils si fort de cette Isabelle-ci, de cette Isabelle-là ? Un jour, c'était le curé qui me prenait par la manche à la sortie de la messe :

« On ne te voit plus beaucoup, ma petite fille. »

Le lendemain, c'était le docteur Mahorin qui, après nous avoir avoué ses inquiétudes au sujet de Maman menacée à la fois par des complications rénales et cardiaques, se retournait vers moi :

« Qu'est-ce que tu as de changé, toi ?... Ma parole ! Mais elle s'enfarine, elle se teint ! »

Le grand crime que de mettre un peu de poudre et d'employer cette lotion qui, sans être une teinture, rabat un peu la couleur de vos cheveux ! Nat en avait déjà fait toute une histoire et dix personnes au moins, au bourg comme à Nantes, s'étaient déjà crues ou allaient se croire obligées de sourire d'une certaine façon.

Maître Ténor, entre autres. Le hasard seul m'avait permis de ne pas le rencontrer dans les couloirs du Palais. Mais je finis par buter contre lui dans la salle des pas-perdus.

« Je ne t'aurais pas reconnue ! s'exclama-t-il. Alors, c'est vrai, tu travailles avec Maurice ? La Fouve est donc rasée ? »

☆

La Fouve ! Elle aussi se faisait véhémente,

semblait protester de tous ses arbres tordus par les giboulées, et c'était elle que je croyais entendre quand Nat, à l'heure du fiel, criait : « Tu tournes comme ta mère ! La ville te fait bouillir le sang ! » ou quand, à l'heure du miel, elle ne lâchait plus qu'un filet de voix pour susurrer : « T'étais pourtant jalouse d'ici, mon Isa. »

Je me sentais coupable. Par moments, au bureau, je m'étonnais subitement d'être là, je manquais d'air, d'horizon, de mouvement, je me mettais sous n'importe quel prétexte à rôder sur la moquette, un instant satisfaite de sentir mes talons s'y enfoncer comme dans l'humus, mais bientôt agacée par cette molle uniformité, par l'absence de la brindille qui craque, du gravier qui roule, de la motte qui s'écrase en beurrant les bords de la semelle.

Une fois, vers la mi-mars, ce fut même si sérieux qu'après avoir tourné quelques minutes autour du Copenhague, campé sur son guéridon, je n'y tins plus. Maurice plaidait : je lui laissai un mot sur son sous-main, puis je me fis coûteusement ramener en taxi à La Fouve où Nat m'accueillit avec des mines extasiées.

A huit heures et quart, lorsque Maurice rentra, il me trouva en train de me badigeonner. Je lui montrai bravement ma gorge, si barbouillée de bleu de méthylène que de la luette aux gencives on n'y voyait plus rien d'autre.

« Elle a l'angine », dit Nat.

Maurice le crut et m'octroya une semaine de repos. Mais dès le quatrième jour, lasse de courir les berges ou les sentes, sûre de n'y pas retrouver ma joie, je retournais à Nantes.

Et le temps se mit à passer, à passer. L'Erdre, tumultueuse, arrivait du fond du bocage, courait sous les pluies d'équinoxe pour s'enfoncer dans le souterrain qui la conduit à la Loire. Moi aussi, j'étais sous le tunnel et quelque chose m'emportait très vite vers ma proche et brutale surprise.

XV

Cette nuit-là — qui était celle du 24 au 25 mars — il devait être environ onze heures lorsque ce grincement ou cette plainte vint me tirer du cauchemar où j'étais plongée, nageant de toutes mes forces dans une Erdre de mercure pour éviter un brochet long comme un caïman. Un brochet ne geint pas : sauvée par cette curieuse logique qui veille au fond du rêve le plus absurde et l'accepte avant de se cabrer sur un détail, je me réveillai pour changer de terreur. Maman allait-elle plus mal ? Nathalie ronflait-elle si fort qu'elle n'entendait pas ce raté ? Il fallut le contact de la descente de lit, bien râpée, bien rugueuse sous mes pieds, pour me rendre toute ma conscience et cette sûreté d'oreille qui sait identifier chaque bruit d'une maison : aucun doute, la porte de la buanderie avait été laissée ouverte et, poussée dans un sens ou dans l'autre par de légers coups d'air, gémissait sur la rouille de ses gonds.

Presque aussitôt du reste elle se mit à battre, faussant le rythme du silence accordé à celui de la respiration de ma sœur. Je n'avais plus qu'à descendre pour l'empêcher de réveiller tout le monde. L'interrupteur se trouva sous mes doigts, mais je n'allumai pas. Je l'ai déjà dit : j'aime rôder la nuit, furtive et tâtant les murs. Une fois de plus mes pieds nus, aussi sûrs que mes mains, reconnurent les éraflures du lino, l'arête usée de la palière. Puis, cassée en deux, je me laissai filer sur la rampe jusqu'à la boule de cristal du rez-de-chaussée dont la fraîcheur vint se bloquer entre mes seins. Enfin je cherchai, du bout du gros orteil, cette file de carreaux légèrement creusés par un siècle de passage entre des meubles rivés au sol par un siècle de présence et qui menaient comme un sentier du vestibule à la cuisine. Mais là je m'arrêtai, saisie, et ne pus retenir une sourde exclamation : en face, dans la buanderie, un rond de lumière tremblait au milieu de la porte coupable, éclairant une main tendue vers la poignée.

« C'est toi, Isa ? Tu descendais aussi fermer cette porte ? »

Avant la voix — j'avais reconnu la chevalière, verrue d'or sur la main de Maurice, qui reprenait :

« On joue à se faire peur ? Tu as de vrais yeux de chauve-souris ! Pourquoi n'allumes-tu pas ?

— Et vous, Maurice ? »

Le rond de lumière m'arriva en pleine figure, m'éblouit, et la voix de Maurice se rapprocha, un peu rauque :

« Mais tu es en liquette ! Je comprends pourquoi tu attrapes des angines. Veux-tu filer ! »

Je reculai d'un pas, soudain glacée, soudain honteuse et toujours encerclée de lumière. L'idée me vint, biscornue, qu'avec ma chemise longue et cette auréole, je devais avoir l'air d'une sainte qu'on mène au martyre.

« Allons, viens ! » dit le bourreau en me saisissant le bras.

Il serrait fort et l'auréole nous précédait maintenant, rasant le carrelage devant nous, éclairant des pieds de chaises, les cales d'une armoire, une portion de plinthe, un bas d'huisserie. Elle se coupa en deux sur la première marche de l'escalier pour nous faire lever le pied. Un écart l'expédia de biais sur la cloison où elle se déforma en ovale, pour repartir de-ci, de-là, illuminant un portrait, tirant des éclairs de diamant d'un méchant petit lustre à pendeloques, déshabillant la pudeur des choses en leur arrachant d'un coup leur part de nuit. Enfin au palier elle disparut dans la paume de Maurice dont les doigts devinrent tout roses, translucides. Un murmure m'expliqua :

« Ça me rajeunit ! Quand j'étais enfant, il n'y avait pas d'électricité à La Glauquaie. Chacun avait son boîtier pour ses petits besoins et ma pile était toujours à plat. Je passais des heures à faire des ronds, à sortir une à une les choses du noir. J'appelais ça : photographier à l'envers... Mais tu dois geler. Bonsoir, mon petit chat. »

☆

Bonsoir, Maurice. L'usage veut que, depuis la paix, je vous offre ma tempe quand nous nous séparons et bien que je grelotte, effrayée d'être si peu vêtue dans tant de nuit, ma tempe, la voici.

Mais la lampe nous manque et dans l'ombre ce baiser paternel a visé un peu bas. Il se pose sur ce coin de visage où naissent les sourires et qui n'est plus de la joue sans être de la lèvre.

« Isabelle ! »

Décidément mon nom, mon nom tout seul, hier encore décoché comme un reproche, exprime trop de choses. Prononcé de si près, à fleur d'haleine, il sent le tabac, le dentifrice et l'oignon du dernier ragoût ; mais de ce souffle, qui m'irrite la peau, il exporte soudain la chaleur même. Qu'est devenue la lampe ? La lampe ? La main qui la tenait a dû la glisser dans la poche du pyjama, car elle happe la mienne qui bat le vide, cherchant en vain le commutateur. L'autre conserve mon bras gauche en otage. Il faudrait me débattre, me hérisser de cris et je me contente d'un murmure qui n'alerte personne :

« Lâchez-moi, Maurice, lâchez-moi. »

Mais la nuit sur moi se resserre, comme ses bras. Sa bouche est sur ma bouche qui déjà se dessoude et son genou s'avance au milieu de moi. Isabelle, Isabelle ! C'est tout ce qu'il sait dire entre tous ces baisers appuyés comme des sceaux sur une cire qui flambe. C'est tout ce qu'il sait dire et c'est tellement trop ! Attaquée de toutes parts et de toutes parts défaillante, soulevée, emportée, cognée à des angles de meubles, la victime, elle aussi, n'a qu'un mot pour s'en plaindre :

« Maurice ! »

Dans sa tête, il est vrai, bat ce refrain stupide :

« J'aurais dû mettre ma robe de chambre, j'aurais dû mettre ma robe de chambre. » Mais la laine ferait-elle mieux que la finette pour défendre ce qui ne résiste guère, ce qui va s'écrouler je ne sais où dans une bienheureuse défaite ? Un ressort, longuement, chante un *mi* qui se meurt... Ah ! sauvage, qu'as-tu donc fait de ta sauvagerie ? Est-ce bien toi, cette fille tordue, perdue, trouée par ce plaisir qui tout de suite t'a surprise et dont s'émerveille cet homme plus surpris encore que toi-même et qui y va maintenant comme un bûcheron, qui lance son corps contre le tien avec une violence de cognée, pour s'abattre enfin sur ton épaule en murmurant :

« Isa, nous sommes fous ! Et je n'ai même pas fait attention... »

Nous sommes fous, oui, Maurice, et Dieu veuille que nous le soyons vraiment l'un de l'autre ! Mais à quoi, à qui veux-tu faire attention ? La seule pureté qui reste à celle-ci, dont la joie se déracine, sera de n'avoir rien évité de toi. C'était l'autre qu'il fallait ménager : l'enfant à qui tu disais bonsoir sans préciser qu'il s'agissait d'un adieu et que ni toi ni moi nous ne la reverrions. Mais je t'en prie, ne répète pas « Isabelle, Isabelle », cette litanie tout à l'heure brâmée comme un appel et maintenant entrelaçée de stupidités tendres. Si tu savais comme je donnerais cher en ce moment pour avoir un prénom bien à moi, un prénom que tu n'aies pas de la même façon, dans la même occasion, glissée dans une autre oreille ! Isabelle, c'est aussi cette femme dont la faute a plus de droits que la mienne et qui, de l'autre côté du papier peint, sourit peut-être à notre trahison. Non, laisse-moi, laisse-moi...

« Mon amour, tu ne vas pas t'en aller ? Pas tout de suite !

— Bonsoir, Maurice. »

Ma bouche trouve la sienne et vivement s'efface. Ses bras, cette fois, ne se refermeront pas. Redressée d'un coup de reins, dans cette chemise dont une bretelle est cassée, je m'enfuis, butant deux fois dans l'ombre de cette maison où je me reconnaissais d'instinct et qui ne me reconnaît plus.

XVI

Au petit jour je me réveillai, indignée d'avoir pu dormir. Incrédule, aussi. Etait-ce vrai ? Etait-ce seulement possible ? Et si j'avais rêvé, comment avais-je pu rêver cela ?

Mais la bretelle cassée, qui laissait glisser ma chemise au ras d'une pointe de sein grenu comme une framboise, les deux verrous tirés à fond ne permettaient aucun doute. Haletante, affolée à l'idée d'être poursuivie jusque dans ma chambre, je m'étais bien approchée du lit de ma sœur, pour flairer son souffle, pour m'assurer de son sommeil, de son silence, en craquant au-dessus d'elle de furtives allumettes dont les bouts à demi consumés jonchaient la descente de lit. Enfin, roulée en boule, recroquevillée des quatre membres autour de cette blessure, si légère et pourtant si profonde qu'elle nous laisse à jamais ouvertes, j'étais bien restée comme une bête, les dents, les poings, les paupières serrés, incapable de bouger, de penser, de comprendre et rentrant seulement un peu plus la tête dans les épaules chaque fois que l'heure grondait au clocher de La Chapelle, relayé par celui de Carquefou, plus grave encore et qui faisait longuement vibrer la nuit.

J'avais dû m'assoupir quelque temps, malgré tout. Un coq s'enrouait maintenant du côté des basses fermes ; une lueur sale franchissait le goulot de la fenêtre, délayait le rose fané de la tapisserie, éclairait le pot de faïence qui bâillait dans la ruelle, très blanc, mais rongé par ce petit fond d'eau de Javel sur quoi personne ne s'était accroupi. Berthe dormait comme elle dormait la veille, comme elle dormait toujours : écroulée sous son propre poids qui, du moins, n'était que son poids et semblait, de toute sa graisse intacte, me reprocher de n'avoir su garder pour moi ce peu de chair douteuse dont je me sentais faite.

Et soudain, je me détendis, claquant une paume contre l'autre pour écraser au vol un moustique incertain, dont la faible musique agaçait la pénombre. Manqué, il remonta vers le plafond, tandis que Berthe soulevait une paupière, aussitôt refermée. Déjà, piétinant ma chemise, je m'habillai en hâte, avec une rage de me couvrir qui me fit enfiler laine sur laine et ne s'apaisa pas avant de m'avoir imposé ma plus longue robe, mon plus gros manteau et ce foulard deux fois renoué autour du cou. Alors seulement, cuirassée d'étoffe, je me risquai sur le palier que je franchis en courant, comme l'escalier, pour me jeter dehors.

L'aigreur de l'air, assortie à la vivacité des oiseaux, au fil coupant de l'herbe, me fit du bien. Un moutonnement blanchâtre dévalait les pentes jusqu'à l'Erdre, bourrait de coton les clairières cernées d'arbres frileux repliés dans leurs branches. L'Est, encore sans sommeil, envahissait rapidement le ciel décoloré, d'où la lumière ricochait de nuage en nuage, pour retomber de très haut, froide et pure, aspirée avec de grands cris par la ronde des premiers martinets. Je marchais d'un pas sec, écrasant crocus et primevères, poussant sur des jambes souples une vraie statue de plomb. Si j'allais, sans hésitation, vers la rivière, je n'y avais pas réfléchi une seconde. Le seul sentiment qui m'habitât était une sorte d'étonnement devant un paysage si semblable à lui-même, si fidèle à ce qu'il avait toujours été. Dédaignant le cailloutis de l'allée, je prenais grand soin de traverser les touffes, où commençait à se déposer une rosée glaciale qui me dégoulinait sur les chevilles et trempait mes sandales. A la haie fruitière, que Maurice avait essayé de tailler, je me mis à trotter en apercevant les bourgeons, dont les écailles brunes craquaient sur une pointe blanche. Et ce fut un vrai galop qui m'emporta, lorsque j'eus rencontré le cormier, ceinturé par la trace boueuse de la récente inondation. Elle s'était arrêtée, cette trace, à la hauteur même d'une vieille encoche, d'une date aujourd'hui effacée, mais que je connaissais par cœur : *Isa 1940.*

Isa 1952 dévala le raidillon, parvint enfin sur la rive, près de l'anse d'accostage, à cet endroit détestable, lui aussi recouvert de limon que le printemps n'avait pas eu le temps de reverdir. A fleur de berge, l'Erdre filait, étirant rudement des cheveux d'algue parmi les piaillements des effarvattes depuis peu revenues et disloquant des loques de brume, des gazes, des fumées mouvantes où se camouflait l'élan d'une jeune armée de roseaux. Il n'y avait pas de choix, il n'y avait pas d'hésitation à avoir. Mon cache-nez se déroula ; mon manteau, rejeté en arrière d'un effort des épaules, tomba à la renverse, les manches écartées, ridiculement vide de moi ; et — sauf ma montre, que j'oubliai à mon poignet — le reste suivit, s'accrochant aux épines, aux sicots, tachant de linge clair les mottes de carex et me laissant follement plonger dans l'eau, dans l'eau, dans l'eau, pour m'y retrouver et m'y relaver, pour battre et rebattre des bras contre l'écume et contre moi, contre le courant, contre le froid qui me mordait la peau.

☆

J'en sortais à bout de forces et de souffle quand le soleil apparut, portant au rouge un long stratus gris fer aplati sur l'horizon. Nue, mais sans amitié pour mes charmes, je me frictionnais jusqu'au sang, regrettant de ne pas avoir assez de courage pour le faire avec une poignée d'orties et quand je m'enfouis de nouveau sous mon attirail, j'étouffai de chaleur. Sur le marais comme sur le bois, le brouillard s'était dissipé, libérant les chenaux sinueux de l'un, les sentiers compliqués de l'autre et j'eus envie, soudain, de connaître les miens. Mais pas plus qu'avec autrui, je ne suis aisément bavarde avec moi-même. Il me faut me harceler pour me soutirer des explications. *Tu as un amant ! Tu as couché avec ton beau-père !...* C'est tout ce que je parvenais à me dire, pour punir en moi cette mijaurée qui reculait devant les termes, qui n'était pas morte avec sa vertu.

Abandonnant la berge, j'étais repartie droit devant moi et il me fallut faire deux ou trois tours de parc avant de consentir à me relâcher un peu, à me laisser tomber sur une souche abattue qui, depuis l'enfance, me servait de banc et où je me mis à bêtifier sombrement. Si Maurice n'était pas vraiment mon beau-père, j'étais tout de même bien sa maîtresse. Pourtant je ne l'aimais pas, je ne pouvais pas l'aimer, je l'aurais su. Lui non plus, du reste, ne m'aimait pas. Il avait succombé à une tentation brutale, profité d'un hasard, d'un de ces instants de stupide faiblesse dont certains romans m'avaient assuré que pâtissent les femmes, comme en pâtissent — et cela, je le savais d'expérience — les chèvres et les chattes. C'était lamentable, mais c'était ainsi : j'avais perdu ma virginité comme on se crève un œil, par accident.

L'image m'arrêta. Dans ma fureur d'humiliation, je venais d'aller trop loin. Je me retrouvai debout, lasse de me subir et révoltée contre mes insultes. Un souvenir précis m'incendiait les joues, me rappelait cinq flamboyantes minutes où, sur un chemin de paradis, « l'accident » m'avait paru tout autre. Aveugles, oui, nous avions été aveugles et, sur ce chemin-là, les paupières nous étaient d'un seul coup tombées. Mais de très loin, depuis des jours, le feu couvait sous une mauvaise cendre. Ces regards luisants de Maurice, ces gestes hésitants et frôleurs, ce choix difficile entre le tu et le vous et cette pression même, cette patience avec laquelle il avait fait mon siège, n'étaient-ce pas des indices aussi nets que mes hargneuses coquetteries, mon empressement à me rendre au terme d'un maigre combat où mon hostilité n'avait sans doute jamais été autre chose que le masque de la jalousie ? Longtemps contenu, quelque chose en nous avait éclaté et tous deux surpris, tous deux bousculés, nous avions brusquement cédé à la passion.

A la passion ! Le mot me plut, qui m'excusait, chargé de je ne sais quel mystère, de je ne sais quelle fatalité nocturne, moins fleurie, mais plus violente que l'amour. Je le répétai cinq ou six fois, mais je n'eus pas le temps de m'apercevoir que je tombai de l'agression dans l'effusion, d'une puérilité dans l'autre. Mes furies contre-attaquaient : « Une passion ! Vraiment, tu te flattes ! Et dis-nous ce que tu pourras en faire : car, enfin, ton Maurice, il est marié ! Nous savons bien que c'est là une réflexion de jeune fille et que tu as cessé de l'être, sans trop de manières et en t'occupant fort peu de l'état civil du partenaire. Mais tout de même il serait temps de nous dire pourquoi tu as si vite filé, hier soir, pourquoi tu t'agites et tu te tords autour de ton précieux péché dont tu tais soigneusement l'essentiel. C'est que non content d'être marié, Isabelle, ton amant est marié avec ta Maman, cette grande malade que tu aimes et qui t'aime et qui aime bien aussi le monsieur... Succomber en trente secondes, quand on est la farouche Isabelle, nous t'accordons que c'est vexant ! Mais en faveur du seul homme à qui tu n'avais pas le droit de toucher, voilà le noir de l'affaire, voilà le petit inceste dont un bon bain d'Erdre glacé ne lave pas les rouquines ! »

« Isabelle, où es-tu ? » cria quelqu'un, du côté de la maison.

Je détalai en sens inverse. Le parc était devenu trop petit ; je sautai un talus pour me lancer dans « la plaine à Bouvard », immense pacage loué par un chevillard et constellé de vieilles bouses dures comme des galettes. La voix me poursuivait :

« Isabelle, où es-tu ? Il est l'heure ! »

Il était l'heure de quoi ? L'autre voix, qui n'avait pas besoin de mon oreille, me poursuivait aussi. « Cours, ma fille, tu te rattrapes à mesure, pour mieux t'entendre ! Nous avons encore des choses à nous confier. As-tu pensé que tu n'aurais pas triomphé de ta mère si elle n'avait pas été défigurée ? On est jeune, on est neuve, on a le genou vif et le sein dur. Mais c'est de la fraîcheur plus que de la beauté et, pour tenter le diable, il faut qu'il soit privé. Tiens-le bon, Isabelle, car pour tout dire il pourrait t'échapper, si ta mère guérissait... »

A l'instant même ma jupe fut accrochée. Je me retournai, avec un cri sourd, mais le responsable n'était qu'une ronce traînante jaillie de la haie que je longeai sans trouver d'issue. Je regardai ma montre noyée, où une bulle d'air oscillait comme dans un niveau d'eau entre les aiguilles figées, la petite sur le six et la grande sur la demie. Il était certainement près de huit heures. Les appels redoublaient et bientôt, au bout du pacage, Maurice apparut, sa serviette sous l'aisselle gauche et me hélant toujours en faisant du bras droit de grands moulinets.

☆

Les jambes fauchées, je ne pouvais plus bouger. Je le voyais avec irritation étirer de grands pas, trop réguliers, trop soigneusement posés entre les bouses pour être ce qu'ils auraient dû être : les pas d'un homme bouleversé. Etait-il donc si sûr de lui, si sûr de moi ? Depuis mon réveil j'appréhendais cet instant, partagée entre l'envie de l'accueillir toutes griffes dehors et celle de m'effondrer sur son veston. Au moment où, parvenu à quelques mètres, il jetait un regard sur les haies d'alentour, propices aux épieurs, mon angoisse et ma rancune se liguèrent pour me suggérer une troisième attitude : « Sois gentille, sans plus, comme si rien ne s'était passé, et c'est lui qui ne saura plus que faire ! »

Mais Maurice cria, pour m'avertir sans doute de ne pas lui sauter au cou :

« Tiens ! La petite Chazut sort déjà ses bêtes. »

Et lui-même ne me tendit que la main en chuchotant :

« Je ne t'embrasse pas, chérie : on nous regarde. »

Puis aussitôt, son coude crochetant mon coude pour me remorquer :

« Viens, il n'est que huit heures et quart, mais il vaut mieux partir plus tôt, ce matin. »

Pas une question, pas une remarque. Sa méthode décidément restait la même, en toutes situations : ménagement, discrétion, baume Motus sur les plaies secrètes. Son regard n'exprimait rien : ni désir, ni triomphe, ni colère, ni étonnement, sauf peut-être un peu d'inquiétude. Il avoua du reste, toujours à voix basse, comme nous rentrions dans le bois :

« Prends sur toi, Isabelle, je t'en prie. On lit tout sur ton visage et il nous faudra maintenant tant de prudence ! »

La complicité des buissons ne l'enhardit pas, ne lui donna pas l'idée de m'enlacer. Avait-il peur de m'effaroucher ou estimait-il qu'au bureau ce serait désormais chose trop facile pour prendre des risques à La Fouve ? Organisant notre « folie », l'avait-il déjà intégrée dans son horaire et sa tranquillité ? Il était, je le savais, de ces gens qui ont un véritable génie de confiseur pour enrober le pire. Mais impressionnée par son calme, je me laissais traîner sans pouvoir me défendre d'un certain apaisement. Lui, il accentuait l'allure, en me tenant ferme, d'un air très décidé à m'éviter toute bêtise, à m'encadrer fortement. A l'embranchement des sentiers, au lieu de piquer sur La Fouve, il se rabattit vers la route où j'aperçus bientôt la voiture, rangée sur le bas-côté. Tout était prévu. Maurice m'ouvrit la portière, me fit asseoir et demanda, sans me regarder :

« Tu ne veux pas voir ta mère ? »

Je secouai la tête. Ce serait bien la première fois que je commencerais une journée sans embrasser ma mère, mais je me sentais incapable d'affronter l'épreuve pour l'instant. Maurice parut soulagé.

« Tu as raison, dit-il. Filons sans voir personne. Ce soir nous raconterons n'importe quelle histoire. J'ai déjà dit à Nathalie que nous étions obligés de partir plus tôt. Je me doutais bien que tu ne devais pas être dans ton assiette. »

Sur cet euphémisme, il démarra très vite pour gagner Nantes à près de cent. Une telle hâte montrait déjà les limites de son assurance. Dans la Vedette, nous n'avions plus rien à craindre des indiscrets et il aurait pu, il aurait dû trouver des phrases convenables pour m'occuper l'oreille. Mais il se taisait, ramassé sur son volant comme s'il conduisait à travers des précipices. Il se taisait de toutes ses forces, se contentant de me jeter de temps à autre un sourire, trop bref, trop volontairement dénué d'expression pour ne pas exprimer au moins une chose : un immense embarras, soucieux de me donner le change et de gagner du temps.

Une fois dans le bureau, évidemment, tout changea. Ce que voulait Maurice, je m'en doutais déjà. Faute répétée diminue d'importance, use son remords. Fille reprise n'est plus fille surprise et perd un argument contre son séducteur. Au surplus quel meilleur commentaire à l'amour que l'amour, quand il est interdit et n'a pour seul espoir que d'envahir le sang ? La porte à peine fermée, Maurice, d'un tour de bras, m'imposait un bec-à-bec essoufflant. Il fut obligé de me lâcher pour décrocher l'appareil et annuler des rendez-vous. Mais le tout expédié en trois minutes, il revint en trombe me chercher au creux du grand fauteuil des visiteurs où j'étais engloutie, me traitant de chienne et décidée à crier que nous devenions odieux, que j'avais consenti à le suivre uniquement pour le lui dire, que je voulais m'en aller... En fait, je pus tout juste articuler huit mots :

« Mais, enfin, Maurice, qu'allons-nous faire maintenant ?

— L'amour ! » dit-il d'une voix insolente.

Déjà ses mains bataillaient contre les miennes, vite paralysées par cette joie détestable qui recommençait à me sourdre par tous les pores. Que pouvais-je faire contre ce guépard, ravi d'avoir coincé son agnelle et qui la flambait du regard en lui grondant près de l'oreille, au seul instant où toute excuse soit bonne, le seul argument qui lui vint à la bouche :

« Laisse, laisse, Isabelle. Je sais tout ce qu'on peut dire. Mais puisque le mal est fait, ne nous gâche pas le reste. »

XVII

Il avait bien fallu rentrer et Maurice me ramenait par la même route, avec le même sérieux.

Mais il y avait dans ses gestes quelque chose de plus souple, de rassuré. Pour l'instant, il avait gagné : je ne souhaitais plus, moi aussi, que le silence. Sans doute étions-nous loin de cette complicité chaude, de cette indifférence à deux pour le reste de l'univers où se reposent les violentes amours, qu'elles aient ou non pour elles le droit d'exister. Notre tête-à-tête n'avait guère cessé d'être un corps-à-corps, entrecoupé de trêves incertaines où Maurice perdait l'avantage, ne savait plus se défendre de mes remords qu'en les repoussant de nouveau dans le plaisir. Mais il était ainsi parvenu à faire taire ce qui restait en moi de la jeune fille de la veille, étouffée dans sa délicieuse honte, stupéfaite d'en pouvoir renaître à la pudeur avec cette reconnaissance aiguë, cette tendresse de toute la peau, cette joie de reprendre haleine à l'unisson d'un autre corps qui vient de vous révéler l'existence du vôtre. J'étais vraiment — et c'est cela qu'il avait voulu — devenue sa maîtresse. Je ne pouvais plus rien ignorer de ce qui m'avait poussé dans ses bras et devant l'ampleur du désastre — qui, pour miraculeux qu'il fût, à certains moments, restait bien un désastre — je n'avais plus qu'un désir : bloquer toute réflexion, voir venir, attendre en fermant les yeux, en fermant les bras.

Comme Maurice, en somme. De sa gravité, de son calme je n'étais plus dupe : à chacun son masque. Abandonnant à d'autres la série grimaçante, il avait choisi le sien parmi les plus sereins ; il se l'attachait sur le visage avec une aisance d'habitué ; et il fallait le bien connaître, l'examiner de près pour apercevoir, aux heures difficiles, l'effort qu'il faisait pour le maintenir et que trahissaient sur ses tempes deux petites rides apparentes comme des ficelles.

☆

Ces deux rides se creusèrent jusqu'à l'oreille, quand il donna le dernier coup de volant, pour franchir la barrière de La Fouve. Puis il rata sa marche arrière et dut s'y reprendre à deux fois pour rentrer au garage, où il s'attarda, le nez sous le capot, à vérifier sa jauge d'huile et le niveau des accus. Peut-être espérait-il que j'allais filer et, maintenant qu'il m'avait rendue plus vaillante, le rembourser de ses soins en lui épargnant la corvée scabreuse de ramener à sa mère la brebis égarée. Mais je ne le quittais pas d'un centimètre. Un peu lâche, un peu hérissée, je songeais qu'il aurait dû me proposer de fuir, de faire un éclat, en me laissant le soin de le lui refuser. Enfin il se releva, tout brave :

« Allons ! » dit-il.

Dans le vestibule, j'entendis Nat qui refermait brutalement son buffet en criant à Berthe :

« Toi, tu m'as encore bâfré mes confitures. Si, si, je te dis que c'est toi... »

Cela me permit au moins de la situer. Je passai devant la porte sur la pointe des pieds, estimant plus simple, puisque j'étais partie sans lui dire bonjour, de revenir sans lui dire bonsoir, sans avoir l'air de me présenter à ses reproches et à son examen. Mine de rien, je sors, je rentre, et si j'oublie un peu ma petite famille, au nom d'un excès de travail qu'on veuille bien m'en excuser ! Poussant plus avant, je grimpai l'escalier, Maurice dans mon ombre. Mais en haut il me saisit le bras :

« Tu ne crois pas, murmura-t-il, que nous ferions mieux d'aller successivement chez ta mère ? Je ne voudrais pas lui donner l'impression d'une entente... »

« Ni trop lui mentir devant moi ! Ni me donner en spectacle les gentillesses que tu lui dois ! » ajoutai-je mentalement, satisfaite de me sentir plus agressive et de le surprendre à son tour dans un moment de faiblesse. Nos regards se heurtèrent, il comprit, redressa les épaules et délibérément passa le premier en grognant :

« Viens, petite sotte ! »

Mais ses épaules retombèrent aussitôt. Maman protestait :

« Vous voilà, vous deux ! Alors on m'oublie complètement ? »

Je me précipitai, brusquement délivrée de toute appréhension. Je n'avais pas à rougir, devant quiconque, de ce sentiment-là. Je n'avais pas à feindre, moi, ni à craindre que celui-ci s'offensât de l'affection montrée à celle-là. Je pouvais embrasser ma mère, la bouche encore humide d'un autre baiser. Mais Maurice, arrêté par ma présence, ne le pouvait pas. Il n'osait même plus lancer le « Bonsoir chérie » habituel, devenu équivoque. Raide, il nous regardait nous mignoter, ma mère et moi, en écartelant un pénible sourire où se lisaient toutes les inquiétudes. Car ce n'était pas assez pour lui de se sentir incapable d'être décent envers l'une sans être indécent envers l'autre : il avait certainement vu, comme moi, avec quelle peine respirait Maman, violette et sifflante, et il se demandait peut-être ce qu'il fallait penser de cette fille qui, le matin même, se déchirait la conscience et qui maintenant faisait sa chatte sur le sein de sa chère rivale.

« Excuse-moi, Isabelle, dit-il. J'avais un rendez-vous qui nous a forcés à partir très tôt. Tu dormais encore.

— Tu ne m'avais pas parlé de ce rendez-vous », dit Maman dont le regard vira pour chercher de mon côté une confirmation.

Mais le mot «rendez-vous », rapproché de ce qu'il recouvrait, venait de me pousser le sang au visage. L'idée que ma mère allait interpréter ma gêne ne fit que la renforcer, et Maurice y mit le comble en s'empressant de décrocher :

« Il s'agit d'une grosse affaire d'héritage, précisa-t-il. Je vais d'ailleurs vous laisser, pour travailler un peu sur ce dossier. »

Et il s'éclipsa, le traître ! Nul ne pouvait mieux que moi comprendre ce que la situation avait pour lui d'intenable et quelles réactions il entendait ménager ; mais, ingrate, je lui reprochais le peu de cas qu'il semblait faire de celles de Maman, je lui en voulais avec autant de force que s'il avait sacrifié les miennes et refusé de marquer ainsi sa préférence pour une demoiselle trop certaine de l'y avoir contraint et fort peu sûre de n'en pas ressentir aussi une affreuse petite joie tapie dans l'un des plus mauvais replis de son cœur. Comme la confusion inspire mal, je ne sus que relécher Maman, qui soupira :

« Pauvre Maurice ! Ce n'est pas drôle pour lui. Il fait ce qu'il peut, mais il commence à se fatiguer, je le vois bien. »

Par précaution, j'avais mis le nez dans le creux de son bras. Faire l'enfant, la sotte, la câline, demeurait ma seule ressource et je m'enfonçai plus avant quand elle ajouta :

«Heureusement que tu es sans cesse auprès de lui ! Sinon, je ne serais pas du tout rassurée. »

Pas une seconde, je ne la soupçonnais de me soupçonner. Mais sa confiance me prenait à la gorge, m'apprenant que désormais la moindre phrase porterait, blesserait, prendrait un double sens, cruel pour quelqu'un. Mes ongles s'incrustèrent dans la couverture, quand une main passa dans mes cheveux dont je me souvins — Dieu sait pourquoi — qu'ils étaient roux. Puis la pitié, comme une lame de fond, me souleva, me rejeta vers cette voix et ce regard qui continuaient à couler vers moi leur intolérable eau douce :

« Faite comme je suis, en ce moment, tu penses ! Je ne me fais pas d'illusions, disait Maman. Et Maurice ne serait pas très coupable... »

Pas très coupable ! Je l'avais pensé, un jour. Je ne pouvais plus l'admettre, sans me ravaler au niveau de l'occasion : la plus proche et la plus facile. Le dépit me retourna comme un gant. Une femme se trahit quand elle a une si faible et, en même temps, si clémente opinion des hommes ! J'avais beau me dire qu'une telle indulgence, mise à l'épreuve de la vérité, fuserait aussitôt en clameurs, je ne la supportais pas. D'ailleurs pourquoi me disait-on cela, tout d'un coup et précisément à cette heure ? Qu'y avait-il sous ces phrases ? Une effrayante divination ? Ou la simple rouerie d'une malade, dont travaille l'imagination et qui cherche à provoquer les confidences ? Il fallait y couper court et tout de suite. Ni scène, ni cris, ni larmes, ni tirades, telle était la consigne. Je me redressai, trouvant une voix sincère — la voix, c'est déjà ça — pour plaider la mauvaise cause de notre avocat :

« Ecoute, Maman, je t'en prie, nous avons assez de soucis pour ne pas en inventer, ne va pas te faire des idées absurdes.

— Tu crois ? » dit-elle.

Sa main quitta mes cheveux, passa lentement autour de mon menton. Caresse à l'enfant naïve ! Elle n'avait pas besoin de me dire ce qu'elle pensait. La bonne petite fille, n'est-ce pas, que cette Isa, trop jeune pour voir plus loin que ses cils trop courts, trop gentille pour faire de la peine à sa Maman si d'aventure elle s'était aperçue de quelque chose, mais aussi trop maladroite, trop remuée par le moindre secret pour parvenir à le faire sans friper son petit museau. Pour qu'elle protestât si fort — et si mal — il ne devait pas y avoir grand-chose, mais quelque chose tout de même : des passantes, de trop jolies clientes reçues avec trop d'empressement, de maigres mensonges autour de maigres tentations, rien de grave en somme, mais un signe, un avertissement dont il faudrait tenir compte en continuant d'utiliser cette enfant dont le nez demeurait comme jadis, quand elle mentait, un vrai baromètre... Pauvre Maman ! Si femme qu'elle fût, comme elle était bien mère et bien trahie par ce privilège qu'ont toutes les mères de ne rien deviner de leurs grandes filles et de revoir encore ces anges dans leur plume, quand elle garnit déjà de vilains oreillers ! Rendue brûlante par une nouvelle bouffée de tendresse, la honte se remit à me tenailler. Par bonheur, Maman claqua de la langue :

« Isa, dit-elle, passe-moi ma tisane. »

Je me levai, heureuse de lui rendre ce mince service et regrettant de ne pas avoir à accomplir pour elle quelque répugnante corvée, comme de vider son bassin ou d'assécher au tampon d'ouate, une par une, les pustules sanieuses de son placard, qui reprenait mauvaise allure. Elle vida toute sa tasse et cette soif m'intrigua. Soif, donc fièvre. Fièvre, donc crise imminente confirmée par une respiration difficile, un regain de l'éruption. Et c'était le moment que nous avions choisi... ! Contrite, piteuse comme chauffard qui s'empresse autour de sa victime, j'étouffais de charité pénitente quand Maman reprit, dosant sa voix :

« Au fait, Isa, qu'est-ce que c'est que cette affaire d'héritage ?

— Une captation, que Maurice est chargé d'attaquer. »

Saisie, j'admirai moi-même la rapidité de la parade. J'avais répondu n'importe quoi, mais il suffirait de prévenir Maurice. Puis je me mis à flotter. Cette insistance m'agaçait, me semblait déplacée auprès d'une jeune fille, dont ce n'est pas le rôle de renseigner sa mère sur les écarts de son père. Par ailleurs ce petit grief, encore qu'il fût cocasse, m'aidait bien, comme nous soulagent tous ceux que nous pouvons trouver contre les gens qui en ont d'énormes contre nous. (Au fond de moi, informulée, dormait la noire excuse : ce qu'elle nous a fait, en épousant Maurice, est à l'origine de ce que je lui ai rendu, en le prenant pour amant.) Enfin je cédai au découragement : faudrait-il désormais être nuit et jour sur mes gardes, avec d'incessantes précautions dans une forêt de sous-entendus ? Jugeant l'épreuve suffisante, je filai sous prétexte d'aller mettre la table.

☆

Mon lâcheur n'était pas dans la chambre

grise. Je le retrouvais dans la salle où, se décidant tout de même à faire la moitié du travail, il dépliait gravement un caramel, pour Berthe, en consultant non moins gravement Nathalie sur la taille et la greffe du poirier. N'était-ce pas l'époque idéale ? Nos arbres ne valaient plus rien et, en se promenant, il avait repéré dans le bois de beaux sauvageons. Sans cesser de répartir les assiettes Nat, haussant la coiffe, protestait au nom des coutumes, érigées par elle en sciences exactes :

« Impossible, dame ! L'ente ne prend pas sur une branche de l'année bissextile.

— Et le cerisier ?

— Pareil ! Rien à faire avant la Saint-Joseph. »

Inoffensive conversation ! Je me crus revenue au temps des paisibles disputes opposant, par la bouche de grand-mère et de Nathalie, le sottisier de France à celui de Bretagne, du reste d'accord sur deux points : *Noces de mai ne vont jamais* et *Ne sème pas sous le croissant : il faucille avant toi.* Malheureusement un autre dicton, tout à fait de circonstance, m'envahit la mémoire : *Quand choit qui ne boit ni ne boite, c'est que le cœur lui clochait !* Nathalie ne daignait pas me voir. Je lui trouvai un air comme ci, un air comme ça, difficile à déterminer, distant ou peut-être réservé. Un air, quoi ! Pour me mettre à l'aise, je voulus m'insinuer dans le dialogue.

« Bon, disait Maurice, nous verrons ça l'année prochaine.

— Tu pourrais acheter des arbres tout greffés ? » fis-je étourdiment.

Le tutoiement tout neuf me perça le tympan. Maurice écarquillait des yeux, effrayé. Berthe plissait son front étroit et il me sembla voir la main de Nat marquer un léger temps d'arrêt avant de poser la dernière assiette sur la table. Il n'y avait plus qu'une seule chose à faire : insister, transformer la gaffe en parti pris, faire savoir que pour consacrer la paix, afficher la bonne entente, j'avais décidé de tutoyer mon beau-père, très filialement, comme je tutoyais tout le monde dans la maison. Nat ne manquerait pas de s'en offusquer, mais pour des raisons moins graves, et Maman ne saurait que s'en réjouir. De toute façon nous éviterions d'autres impairs, sans avoir à nous violenter la bouche. Maurice dérivait doucement vers la porte. J'empoignai l'argenterie, qui tinta, m'aidant à meubler l'épaisseur insolite de l'air, où je lançais à plaisir du pronom familier :

« D'ailleurs, on voit que, toi, tu ne connais pas La Fouve ! Tu n'auras jamais grand-chose ici, tu sais, sauf des pommes véreuses, grosses comme des noix... Tu montes ? Dis, Maurice, prends la température de Maman. »

Et je clignai de l'œil dans le dos de Nathalie, muette et massive, qui ne bronchait plus.

XVIII

QUAND manque la fleur bleue, le chardon de la même teinte fait quelquefois l'affaire et nourrit bien l'ânerie sentimentale : on a ses beaux malheurs, on inscrit son nom sur la liste des amours maudites — brèves, mais intenses — on prend place parmi ces privilégiés qui ont voulu faire du ciel avec de l'enfer.

Mais Maurice ne se laisse guère travestir en héros de romance noire et on l'eût bien étonné en lui faisant remarquer qu'il venait de réussir, avec sa belle-fille, ce que Phèdre avait raté avec son beau-fils. Moi-même, je suis obligée d'avouer que mon très court bonheur, mon bonheur de six jours me fait l'effet d'une balançoire où tantôt soulevée, tantôt retombée au plus bas, je ne cessais pas d'osciller entre des sentiments confus, entre le vertige et la nausée.

Six jours ! Et encore s'en faudrait-il de quelques heures pour faire le compte ! Notre mardi de chômage, ce 24 mars qui toute ma vie me fera redouter les 24, s'achevait dans la grisaille. Maurice était redescendu pour dîner en annonçant un 38° 5 de Maman : nous commencions à nous habituer à ces accès fébriles qui décourageaient Mahorin et la nouvelle nous aida plutôt : notre gêne, au cours du dîner, put ainsi passer pour du souci. L'attitude de Nat ne tarda pas à m'inquiéter davantage : je n'ai jamais aimé la voir serrer les mâchoires et se cuirasser dans son corsage, d'ordinaire généreux et mouvant. Elle n'avait de mots et de regards que pour Berthe, malmenée pour un rien : une tache de sauce, un coude sur la table. Au dessert, comme une giboulée montait, achevant d'imposer la nuit que traversèrent bientôt de légers éclairs violets, j'allai appuyer le nez sur la vitre. *Foudre en mars, apprête ton foudre,* n'est-ce pas ? Mais Nathalie, sortant brusquement de son mutisme, me lança :

« T'es contente, hein ? *Fille grêlée aime l'orage.* »

Du coup je lui abandonnai la vaisselle. Une assez sordide Isabelle grimpa l'escalier en se disant : « Après tout, c'est la bonne et tu travailles toute la journée. » Puis la même Isabelle, peu fière de cette journée, passa chez sa mère où elle prit soin de ne pas s'attarder et où Maurice, circonspect, se garda bien de la suivre. Quand je ressortis, l'ombre du palier donna bien lieu à un bonsoir ponctué du baiser de rigueur, mais ce fut tout : nous avions l'un et l'autre trop envie d'être seuls et bientôt dans une chemise de nuit propre, aux plis encore frais, je m'endormis en me demandant si c'était moi ou si c'était Nat qui avait mis au sale celle de la veille.

☆

Le lendemain mercredi, ce fut Berthe qui dut me secouer : la nature, parfois, nous fait de ces grâces. Et ce fut Maurice qui se montra le plus mal en point : il avait dû, à son tour, passer une nuit blanche à réfléchir et à s'interroger. Après avoir hésité à partir (« Vraiment, ta mère n'est pas bien : je voudrais l'avis de Mahorin »), puis hésité à rester (« Nous avons tant de travail en retard ! »), il gagna finalement le bureau d'où il téléphona au médecin de passer à La Fouve. Puis il me donna, toute la matinée, le spectacle d'un homme coupé en deux. Pour maître Méliset le programme tenait toujours : faire son sérieux, donner à l'aventure une apparence presque raisonnable, la ramener, l'inclure au train-train. Mais le ténorino se grattait l'âme, regrettait visiblement de ne pouvoir y étendre le baume des justifications. En entrant il avait dit, après quelques formalités de bouche :

« Maintenant, chérie, au labeur ! »

Mais une fois deux clients expédiés, son employée se retrouva, fort palpée, sur les genoux d'un patron bafouillant :

« Allons, voyons, soyons sages. »

Presque aussitôt ces consciencieux sursauts sombraient dans le roucoulement, la mignardise, le touche-à-tout. On essaya de l'ironie envers soi-même :

« Si on continue, Isette, le cabinet ne s'en relèvera pas. »

On tâta même de l'ironie envers la demoiselle, point trop contente et point trop fâchée d'entendre le prisonnier de la tour, bien vivant, fredonner au-dessous d'elle, avec une certaine lueur dans l'œil :

« Si le roi savait ça, Isabelle... »

Enfin, on capitula :

« Dis-moi que les affaires peuvent attendre. »

Elles attendirent, une demi-heure. Puis Maurice revint, tête haute, pour repartir bientôt, tête basse. Je le sentais flottant, anxieux de bousculer ses scrupules et de se créer des droits. Un peu humiliée par tant d'exigence, mais assez femme déjà pour deviner le piège où se fait retenir qui croit nous posséder, je le laissai abuser de moi, avec un bref, mais si vif consentement des sens qu'il me donnait l'impression d'abuser de lui. Moins docile entre-temps et le guettant comme une chatte, j'attendais qu'il se lâche, que la franchise lui force les dents. Vers onze heures, enfin, il dit en rajustant sa cravate :

« Mon Dieu, Isabelle, où allons-nous ? Toi et moi, il faut avouer que c'est un assez joli scandale. »

Et sa voix devint magnifiquement rauque pour ajouter :

« Mais je m'en fous, tu entends, je m'en fous ! Je ne pourrais plus me passer de toi... »

Durant une minute — la plus belle — tout me parut clair, simple, lumineux. J'en savais assez, il n'y avait plus rien à dire, je lui faisais grâce du reste. Il m'aimait et je l'aimais et nous avions pour nous, devant n'importe quel juge, la loi de l'amour qui méconnaît toutes les autres. Qu'il fût presque mon père et moi presque sa fille, l'état civil pouvait bien l'affirmer, cet accident ne changeait rien. Il était d'abord Maurice, comme j'étais d'abord Isabelle. Nous étions Maurice et Isabelle. Point. Que l'univers s'en accommode !

« C'est toi que j'aurais dû épouser ! » ajouta malheureusement Maurice.

La phrase gâcha tout. L'ange rabat-joie qui me surveille allongea l'aile pour rattraper l'exaltée et lui crier : « Tu entends ? Tu allais croire au miracle ! Je sais bien, mignonne, que l'avantage des situations fausses est de forcer les gens à se prouver qu'elles ne le sont pas en basculant principes et préjugés dans le même tonneau, pour se refaire une philosophie. Je peux même t'indiquer, si ta religion n'est pas au point, que le curé aurait béni ton mariage alors qu'il doit jeter l'anathème sur celui de ta mère. Pour lui, vous avez toutes deux le même amant et, dans un sens, tu es plus libre qu'elle... Mais voilà ! Maurice s'est trompé de doigt. »

Je regardai sottement ma main nue. Maurice la regarda aussi, en soupirant, et je lui en voulus si fort de ce soupir que je ne pus m'empêcher de répéter, durement, la question que je lui avais déjà posée une fois :

« Pourquoi, aussi, as-tu épousé Maman ? »

Il battit des paupières, fuyant mon regard aiguisé par son embarras.

« Je voudrais que tu comprennes, dit-il à mi-voix. Mais ce sera difficile, il aurait fallu que tu sois dans le coup, de longue date. Comment te dire ? Les choses ne se font pas toujours comme ça, nettement, pour des raisons précises. Elles se tassent, elles glissent, elles arrivent d'elles-mêmes et souvent sans qu'on le veuille à une conclusion qui se fait peu à peu accepter. Je peux te l'avouer maintenant : je ne voulais pas me marier et ta mère a longtemps feint d'hésiter, à cause de vous, de l'opinion, de mon père. Puis elle a changé d'avis, insensiblement, elle a commencé à m'en parler, à faire la goutte d'eau. Quand elle s'est crue enceinte, je n'ai pas pu refuser...

— Tais-toi, fis-je, tais-toi. »

Il se tut, sachant bien que sa voix cotonneuse n'expliquait rien du pouvoir de ma mère et ne saurait me convaincre qu'il me fût à jamais transféré. Je m'étais écartée de lui, bougonne. Il estime devoir s'en plaindre :

« Comme tu passes vite d'un sentiment à un autre !

— Et toi d'une femme à une autre ! » criai-je, empoisonnant le reste de ma journée que Maurice préféra passer au Palais, drapé dans sa toge comme je l'étais dans mon humeur et comptant sans doute sur les vertus de la première absence, qui esseule si bien les jeunes mariées dont les lèvres ont enfin le temps de sécher.

☆

Le jeudi, je le remboursai de cette attention. Passé dans la soirée, Mahorin nous avait laissé une note où il nous demandait de « surveiller de très près la malade dont le cœur l'inquiétait ». J'en pris prétexte pour rester à la maison et Maurice souscrivit avec une facilité qui me déconcerta. Il dit seulement : « Tu as raison, ça rassurera tout le monde », et je me sentis frustrée d'une résistance qui aurait pu m'apprendre s'il était frustré de moi.

Il repartit donc seul. Nat n'en croyait pas ses yeux.

« T'as eu des mots, avec l'autre ? » dit-elle, mi-figue, mi-raisin, tandis que la Vedette s'éloignait, saluée par moi d'un léger mouvement de main, aussitôt singé par Berthe qui s'était mise à gesticuler des deux bras.

Nat se renfrogna quand je passai devant elle, sans répondre. Je ne lui avais pas fait part de mes intentions. Divisée entre l'affection et la crainte que m'inspiraient son intransigeance et sa fidélité, dangereusement divinatrices, j'évitais toute discussion. Navrée et la navrant chaque jour davantage, je ne lui disais plus rien, sauf des banalités. Je ne savais même plus quelle contenance adopter devant elle et je n'étais d'ailleurs pas beaucoup plus à l'aise devant ma sœur, dont les questions — peut-être soufflées — ne restaient pas toujours stupides. Ne m'avait-elle pas demandé le matin même, en mettant ses bas :

« Dis, Isa, tu le détestes encore, Maurice ? »

Et non contente de réussir cette phrase — la plus longue que je lui aie jamais entendu prononcer — n'avait-elle pas ajouté (ou répété) ce commentaire :

« Parce que, maintenant, vous avez l'air copains. »

Battant en retraite, je montais chez Maman, languide, mais lucide et tout de suite alléchée par l'aubaine :

« Alors tu me restes aujourd'hui ?

— Je reste, à condition que... »

Grand chut d'infirmière. Je pensais bien que j'allais retrouver auprès d'elle l'insistance et l'inquiétude ; j'étais bien décidée à ne pas me laisser attendrir ni envelopper dans ses confidences, à me cantonner dans un rôle de soigneuse qui applique fermement ses consignes de repos, de silence.

En fait, ce rôle m'échappa. J'étais à peine installée en face du lit — un livre en main, comme un bouclier — que Nat arriva au galop dans la chambre bleue et fit son choix dans le flaconnage qui encombrait la coiffeuse.

« Lis ! C'est mieux ton affaire ! » dit-elle en me voyant me lever.

Sa moue me repoussait vers ma chaise, comme si j'étais parfaitement inutile ou trop maladroite ou indigne. Mais elle n'hésita pas à demander à Berthe de lui passer le broc d'eau chaude, puis le savon, puis la serviette et enfin de remmener le tout quand elle eut, avec une minutie, une ferveur de lave-Jésus, terminé la toilette de sa malade. Un tel manège ne pouvait échapper à Maman, dont les yeux s'étonnaient, au milieu d'un visage trop encroûté maintenant pour exprimer quoi que ce soit. Elle ne dit rien, mais Nat s'en aperçut, se reprocha sans doute de l'inquiéter ou, me voyant malheureuse, céda au reflux de son vieux sang.

« Je te laisse avec Belle, mon Isa ! » dit-elle avec une bonhomie démentie par la violence avec laquelle elle me tourna le dos, les mains enfouies dans la poche-sarigue de son tablier.

Et Maman murmura aussitôt, d'une voix complice :

« Cette bonne Nat ! Elle ne te pardonne pas d'être gentille avec Maurice. »

L'inévitable se produisait ! Je n'eus pas le courage de reprendre mon livre. Je rapprochai ma chaise : un peu, un peu plus, tout contre.

« Elle devrait pourtant le connaître, aujourd'hui ! reprit Maman. C'est loin d'être un mauvais garçon... »

Et le los de Maurice commença : une sorte de mélopée, entrecoupée de silences, de pressions de main. Non, ce n'était pas du tout ce que j'avais craint. Il n'y avait là ni défi ni manœuvre, mais bien pis : une révélation. Maurice, n'est-ce pas, elle pouvait me le dire maintenant que je n'avais plus de préventions contre lui, que j'étais de son côté... Maurice, n'est-ce pas, on pouvait penser beaucoup de choses de lui, comme de quiconque. Elle le voyait bien tel qu'il était : un peu jeune pour elle, un peu riche et d'un milieu trop différent du nôtre. Pas très brillant d'ailleurs, ni très beau, ni peut-être même très sûr. Un homme, quoi, de la série courante, sa fortune mise à part — dont elle se moquait bien ! — Un homme, mais le sien et, va chercher pourquoi, va chercher comment, le seul vraiment, le seul dont elle se fût toquée !

« Et pas tout de suite d'ailleurs ! avouait Maman d'une voix qui devenait pénible. Il m'a fallu trois ans pour m'en rendre compte. Trois ans et la menace de le perdre, quand son père a voulu le fiancer. Ah ! je te jure, ça vous a fait de la peine à toutes ici et ça m'en faisait de vous en faire, mais quand j'ai réussi à l'épouser j'avais envie de crier au miracle ! »

Elle s'arrêta deux minutes pour reprendre haleine et la main dans la main de cette compréhensive enfant avec qui l'on pouvait enfin bavarder ardemment de ces choses, dit encore :

« Beau miracle ! Le malheureux, il est servi ! »

Je mis enfin un doigt sur ma bouche. J'en connaissais une autre, qui était servie ! Une autre qui regarda jusqu'au soir sa mère défigurée, inoffensive et pourtant *intacte,* avec une tenace envie, avec le sentiment d'être en face d'elle si petite, si démunie que, la nuit venue, elle ne se glissa sans doute pas chez Maurice pour une autre raison que de s'en délivrer.

☆

Et ce fut vendredi, auprès de Maurice, apparemment redevenu très maître de lui, retourné au silence pour éviter tout accrochage et gravement campé dans cette bigamie où je prenais rang de favorite, le titre de première femme demeurant à qui de droit.

Ma présence ne semblait pas indispensable à La Fouve et j'en étais repartie, dûment avertie par le patron :

« Cette fois, Isa, on travaille. »

Il partit même un quart d'heure plus tôt, afin de pouvoir le perdre et assurer dans les délais l'étude des dossiers en souffrance, notamment du plus important : « Docks de Bretagne contre Grainetiers de l'Authion. » Il fallait bien roder le système et, pleine de bonne volonté, je l'y aidai moi-même en consultant, en temps utile, ma montre-bracelet :

« Allons, Maurice, il est neuf heures vingt. »

Je ne suis pas sûre qu'il y vit malice. A neuf heures et demie, il dictait de tout son cœur — en regrettant incidemment « que je ne connaisse pas la sténo pour aller plus vite » — et je tapai de tous mes doigts encore un peu gourds une excellente analyse juridique de l'affaire. Contente de lui, sur ce plan-là, je n'étais pas sans aigreur, je pensais : « Comme c'est facile d'être homme ! L'amour ne leur enlève rien, ne les marque pas, ne trouble même pas leurs moyens. On leur cède, on se crée des situations impossibles, on met le monde à l'envers, comme soi-même ; mais eux, ils n'ont qu'à se relever pour le revoir à l'endroit. Et leur précieuse carrière les reprend tout entiers... »

Cependant il était dit que celle de Maurice souffrirait un peu. Au bout de six heures de travail, interrompu par un déjeuner expéditif, nous commencions à y voir plus clair quand le téléphone sonna. Prévenue par Berthe — incapable de se servir elle-même de l'appareil — la receveuse de Nort nous annonçait que Maman venait d'avoir une syncope.

☆

On devine ce que fut le samedi. Bien qu'il eût assez rapidement réussi à ranimer ma mère, Mahorin avait été catégorique :

« Le cœur se lasse, les reins sont dans un triste état, la cortisone n'agit pour ainsi dire plus... Maintenant, à la grâce de Dieu ! »

Il m'avait même prise à part pour soulager sa conscience de marguillier :

« A la grâce de Dieu. Isa ! Tu me comprends... »

Quant au docteur Travel, aussitôt rappelé par Maurice qui n'oubliait pas ses prédictions, il s'était d'abord montré moins pessimiste, pour nous laisser finalement entendre, à travers les ménagements et les nuances, qu'il s'agissait moins d'une alerte que d'une échéance et qu'il faudrait nous estimer satisfaits si nous parvenions à la repousser.

Très alarmés, mais peut-être moins que lors de la première grande crise, nous espérions quand même. Une famille s'affole au début et se méfie des médecins qui la rassurent ; elle s'accroche à la fin et les croit encore moins quand ils renoncent. Maman avait déjà triomphé de plusieurs accès, tous enrayés dans la huitaine et le progrès du mal ne se manifestait pas d'une façon aussi spectaculaire que sa naissance. Un teint plus terne — là où le lupus lui permettait d'avoir un teint — quelques pailles dans la voix et cette lenteur du geste, du regard, laissant apercevoir trop de blanc quand virait la prunelle, c'est tout ce que nous trouvions de changé chez notre malade.

Elle ne semblait pas s'être aperçue de grand-chose et la présence de tous les siens à La Fouve, un samedi, pouvait passer pour naturelle. L'empressement de Maurice la ravissait, la remboursait de cette semaine où il avait évité sa chambre de peur de m'y rencontrer et d'être obligé de se montrer tendre devant moi (peut-être aussi de peur de se trahir : rien n'use mieux les vieilles patiences que les jeunes passions). Cet empressement, je l'encourageais du reste en m'éclipsant de temps en temps pour donner à Maurice l'occasion de se montrer encore plus charitable et il n'était pas jusqu'à Nathalie qui ne jouât les aimables, les adeptes du parfait accord.

Certes nous forcions notre talent. Ce beau tableau de famille, je savais ce qu'il recouvrait d'effort exaspéré chez Nat, d'inavouable attente chez Maurice, sans parler des sentiments de cette fille écartelée qui parvenait, je ne sais comment, à sourire à tout le monde. La trêve faillit d'ailleurs être rompue le soir quand Nathalie, soudain, me proposa entre deux portes d'aller chercher le doyen. Malgré ce que m'avait dit Mahorin, j'en référai à Maurice qui refusa tout net :

« Non, madame Mériadec, je ne veux pas que ma femme se frappe. Si elle le demande, on verra. »

Nat recula, comme devant un monstre, sans insister. Mais une heure plus tard, pour rester dans la chambre, elle refusa de faire la cuisine.

« Isa la fera », dit Maurice.

Je la fis en effet, sommaire. Mais personne n'y toucha. Berthe elle-même, bien plus consciente du drame que je n'aurais cru, ne put avaler.

« Mets-la au lit », dit encore Maurice.

Je la mis au lit, puis je redescendis. Je n'étais pas sortie de la journée. Je me risquai dehors pour m'isoler, respirer un peu de cet air qui manquait à ma mère et où depuis toujours s'étaient dissous dans l'odeur proche du marais son rire et ses appels.

Sous le ciel mité par les premières étoiles quelques nimbus rougeâtres prolongeaient le crépuscule. J'interrogeai la maison : c'est une vieille habitude chez moi que de lui prêter un visage, de transformer la porte en bouche, les fenêtres en yeux, les lézardes en rides, à qui l'heure, la saison, les jeux de l'ombre, l'humeur du regard prêtent alors de changeantes expressions.

La maison était grave et les arbres, alentour, lugubres et figés. Deux chauves-souris virevoltaient, singeant les hirondelles sur leurs ailes de peau. J'essayai de descendre vers l'Erdre, où semblaient se vitrifier des morceaux de lumière enchâssés dans les plombs noirs des branches. Mais très vite, j'abandonnai, effrayée par l'hostilité de l'ombre et surtout par l'incertitude insolite de mes pas. En vérité je n'avançais plus sur les mêmes jambes, avec l'aisance un peu dansante, balancée d'un genou sur l'autre, qui est celle des jeunes filles ; je me sentais la démarche d'une femme, plus régulière, plus serrée et comme soucieuse de ne pas ouvrir d'angle, de ménager la charnière brisée d'un secret éventail. Et cette démarche-là ne menait pas de ce côté...

Lente, je revins dans la salle où venait de s'allumer une lampe. Maurice était là qui comprendrait ma quête, aurait le geste, le mot nécessaire. Mais paralysé par une triste pudeur il dit seulement :

« Elle dort. Je la trouve mieux, tu sais. Elle est jeune, elle a encore beaucoup de ressource. »

Et plus bas :

« Va te coucher, chérie. »

Je m'en allai, docile, résignée. En de telles circonstances, il était bon que notre amour s'arrêtât, qu'il fût remis, interdit comme un bal en carême, qu'il se fît pardonner d'exister. Maurice avait raison, qui entendait fermer les yeux, se taire, ne rien envisager, ne rien prévoir et qui à cette heure même me renvoyait chez moi, séducteur ravagé par une tardive délicatesse. Tout espoir devenait monstrueux. Rien n'ouvrait l'avenir. On ne divorce pas de la mère pour épouser la fille. Et si la mère mourait, pouvait-on une seconde laisser penser à l'orpheline qu'on avait spéculé sur cette horrible chance ? Il y a des fins où agonisent aussi les recommencements.

Au palier, je trouvai Nat, plantée de biais sur le pas de la porte. Elle m'attendait, l'œil rivé sur Maman qui reposait dans la lueur mauve de la veilleuse. Elle aussi chuchota :

« Va te coucher. Je veillerai. Tu iras à la première messe, demain. Moi, j'irai à la seconde. Faut que je voie le curé. Si des fois... »

Elle hésita : comme si ces choses ne me regardaient plus. Puis elle fut contre moi, bouleversée :

« Isa, je lui ai dit, je lui ai fait comprendre. Et tu sais ce quelle m'a répondu ?... Qu'elle ne voulait pas le voir, qu'il lui demanderait d'abord de désavouer son mari et qu'elle ne le pouvait pas. Je t'en prie, toi aussi, demain...

— J'essaierai », fis-je, trahie par la pitié.

Et j'entrai dans ma chambre. Tout en moi criait non, exaltait la fierté que m'inspirait ma mère. Comme on se trompe et comme les êtres sont différents en profondeur de ce qu'ils sont en surface ! Rachetant ses mines, ses fragilités, voilà qu'*in extremis* cette femme trouvait du caractère fidèle à qui ! fidèle à quoi ! drapait son gisant dans cette fidélité. A nul autre moment, même lorsqu'elle était belle, tendre, à nous seules réservée, je ne m'étais sentie aussi près d'elle. Je pensai : « S'il existe, l'enfer ne reçoit pas l'amour », sans éprouver plus que ma mère le sentiment d'avoir changé de foi, mais au contraire, la certitude que ceci était lié à cela et qu'absoute, elle me laissait condamnée.

XIX

DIMANCHE. Peu saluée et ne saluant pas plus, je rentre de la messe. La lumière, longue et frileuse, laisse déjà monter les mouches : signe de beau temps. En bas les araignées jeûnent, mais les hirondelles se gobergent dans ces hautes zones où règne le clocher qui semble les expédier au loin, par volées sonores. Le bocage entier, du reste, vocalise ; il n'y manque plus que le coucou, lançant l'heure au hasard comme une horloge déréglée. De tous les côtés les haies se font pardonner leurs épines, offrent de jeunes verts aux vieux roses qui dégoulinent des pommiers. Et je ne dis rien du mélange d'odeurs où seul un bon flair du pays sait trier ce qui appartient au marais, aux violettes du talus, à la taure qui secoue les crottillons de sa queue en tirant la touffe à pleine langue, au sapin qui vous adoucit la gorge rien qu'en suintant du bourgeon.

J'aimerais avoir le nez, les yeux, les oreilles moins heureux, ne rien céder à la joie de vivre dont la saison nous fait grâce. Rien n'excuse cette messe où il m'a fallu, pour la galerie, faire mon enfant de Marie au banc des chanteuses. Je sais (et je suis bien aise de le savoir), ces bonnes filles se laissent parfois dégrafer et le ruban bleu leur sert en somme à porter leur vertu en écharpe. Mais nul tort n'en justifie d'autres. Je regardais l'autel, les vitraux peuplés d'auréoles, mon livre de messe où se répète, au propre des saints, la mention *Fête de Sainte Une-Telle, vierge et martyre,* en m'étonnant de constater que ceci ne m'avait pas soutenue, que je n'y avais même pas pensé. Sans doute n'ai-je jamais eu, comme ma mère avant son remariage, qu'une piété de convention, une de ces mécaniques qui s'arrêtent dès qu'une faute les coince et qui se mettent bientôt à tourner à l'envers. L'indifférence est d'abord un refuge : on se rallie à ce qui vous délie. Mais comment ne pas se demander, avec irritation, quelle hypocrisie vous faisait auparavant remuer les lèvres ? Comment s'en défendre en plaidant l'innocence sans la sentir aussitôt se retourner contre vous ? Et comment dans mon cas l'empêcher de crier, de gémir sur la détresse où la voilà réduite en un moment où, pour sommer le ciel, la ferveur est peut-être le dernier atout de la tendresse ?

Je presse le pas, sur le bas-côté, tapissé de très jaunes ficaires. Il n'a rien arrangé, l'abbé, chargé du prône express de la petite messe et adjurant ses ouailles, tout justement de songer aussi aux épargnes spirituelles de la prière :

« Ah ! mes frères, quand il s'en prive, comme le plus riche est démuni. Mais dès qu'il y a recours, comme le plus pauvre fait ses affaires et celles des siens ! Car ce crédit sur Dieu, dont Marie, là-haut, notre bonne comptable, tient les plus justes livres, c'est encore la seule chose qui se prête sans péril et nous revienne toujours grossi des intérêts capitalisés, si j'ose dire, par la Communion des Saints. Prions d'abord pour les nôtres... »

Eloquence ordinaire de l'abbé qui aime les bonnes quêtes et les métaphores solides ! Elle n'accélérait par les marmottements des vieilles sous leurs petits chapeaux noirs, bordés de crêpe blanc. Mais pour une fois elle m'a touchée au vif : malgré l'urgence, l'ardent désir d'obtenir n'importe quoi de n'importe qui, même sans y croire, j'étais incapable de sortir un *Ave*. Et il n'y avait rien là qui fût du respect humain : pour épuiser toutes chances de salut, le plus stupide remède de bonne femme, j'irais au besoin le chercher à cent lieues. Mais prier pour ma mère, n'est-ce pas demander qu'on lui pardonne ce qu'elle ne veut pas désavouer ? Et je ne lui ferai pas cette injure...

☆

Voici La Fouve, dont les toits bleu sombre se découpent sur du bleu clair. Le portillon tinte et Nathalie sort de la cuisine, toute harnachée : bigouden du dimanche, guimpe immaculée, corsage à passants de velours, tablier à fleurs. Berthe la flanque, lourdement endimanchée par ce chapeau, ce manteau, ces gants qui accusent sa niaiserie et lui donnent l'air d'une pensionnaire d'institution charitable prête pour l'inspection.

« Ta mère n'a pas de fièvre, dit Nat, mais elle est comme du coton. Ne bouge pas de la chambre et tâche d'éloigner l'autre, pour ce que je t'ai dit. »

Elle ne m'embrasse pas et file, car la route à faire, la visite préalable au curé ne lui permettent pas de s'attarder. Vingt fois Maurice lui a proposé d'épargner son temps et ses jambes en empruntant la voiture ; vingt fois elle a refusé, en ronchonnant derrière son dos : « Me laisser conduire à la messe par ce mécréant-là... Joseph ! Plutôt y aller sur les genoux ! » Si bien que Maurice, tapi dans la discrétion, ne se propose plus pour personne et que Nat y voit maintenant un autre genre d'offense : « Tu penses ! L'encens lui pue au nez. Il nous laisse aller à nos dévotions comme on laisse les gens aller aux cabinets : en espérant qu'ils ne ramèneront pas l'odeur ! » Je me retourne pour la voir s'éloigner, poussant ses jupes et remorquant Berthe. Mais elle ne se retourne pas, elle, et son tuyau de dentelle disparaît derrière ce paravent d'aubépine qui nous défend du nord. Je n'ai plus qu'à monter, morose, en enlevant mon chapeau.

Maurice est dans la chambre, assis sur le lit, près de l'oreiller. Il se lève très vite, s'embarrasse entre deux sourires, l'un pour Maman, l'autre pour moi, ambigu et qui a l'air d'invoquer la force majeure. Sa voix cherche le bon accent pour dire :

« Voilà Isa. On me donne la permission d'aller déjeuner ?

— Va, mon chou, bien sûr », répond Maman sans me demander, à moi, si j'ai pris mon café.

Maurice s'efface comme une ombre et je m'installe à sa place, creusée dans la couverture encore chaude.

« Ça va, Isa ? chuchote Maman.

— Dis voir d'abord comment va Mme Méliset ! réplique ladite Isa, louvoyant vers la fausse gaieté.

— Oh ! moi, maintenant ! »

Nat est à tuer. Elle ne pouvait donc pas la laisser finir tranquille, dans l'attente d'une guérison toujours certaine et toujours repoussée ? Mais je ne suis pas dupe ! A ma fausse gaieté répond une fausse résignation, anxieuse d'obtenir la protestation qui lui est due, qui ranimera l'espoir. On soupire maintenant le commentaire inéluctable :

« Pauvre Maurice ! Quand je ne serai plus là, il va être terriblement seul.

— Pardi ! Il n'attend que ça pour faire un veuf ! Il a même grand-peur que ça traîne des années ! »

Tout est dans le ton. La meilleure boutade, c'est quelquefois la plus terrible vérité, ainsi rendue incroyable, réduite au rôle d'antiphrase. Celle-ci vient de rendre le sourire à ma mère qui murmure avec la même ironie :

« Sait-on jamais ! »

Arrêtons maintenant, de peur que le poids des mots les entraîne, leur rende un sens écrasant. Au point où en est Maman, il n'y a plus d'habileté qui puisse longtemps lui faire illusion, sauf une quiétude bien jouée, un calme qui semble assez assuré de sa présence pour ne lui permettre d'en douter. Elle est là, bien là et je suis là aussi, bonne fille douce qui prend son tricot, qui compte ses points, une maille à l'endroit, deux mailles à l'envers et qui ne risque pas un coup d'œil plus loin que ses aiguilles. J'ai pensé à dire : « C'est un pull pour toi », mais le fil serait trop blanc. Il suffit de faire remarquer :

« Tu parles d'un soleil !

— Oui, dit Maman.

— Tu veux que je lâche un peu la jalousie ?

— Oui », dit Maman.

Ses oui sont un peu sourds. Elle ne bouge presque pas dans ce lit dont le drap de dessus lui monte sans un pli au ras de la tête, immobile dans ses cheveux. Il vaut mieux laisser glisser la jalousie jusqu'en bas et me taire, tricotant de plus belle, tandis qu'au loin brame un chaland qui remonte le canal.

☆

Appel, dernier son, petit branle d'élévation, grandes cloches de la sortie, que suit immédiatement un carillon de baptême : l'heure tourne. Maurice, venu deux fois, est deux fois reparti. Berthe et Nathalie sont sur le chemin du retour. Maman remue les lèvres :

« J'ai soif. »

Et comme j'étends le bras vers le pot de tisane :

« Non, quelque chose de chaud. »

Descendons. La cuisine est déserte, mais le craquement de l'allumette attire Maurice qui sort de la salle et vient me retrouver devant le fourneau à butane.

« Je monte ? » demande-t-il.

Il y a près de deux jours qu'il ne m'a touchée. Sa réserve défaille et son regard se trouble.

Après tout, sans nous permettre plus, nous pouvons bien nous embrasser, puis rester appuyés l'un sur l'autre, jusqu'à ce que l'eau soit chaude. La flamme verdâtre du butane, dont la pression s'épuise, vacille sous la casserole où tardent à paraître les premières bulles du frémissement. Mais je suis moins rétive et les mains de Maurice s'égarent, tandis que je me courbe un peu en arrière. L'eau bout enfin et je ne me redresse pas. Maurice souffle :

« Viens, Isa, viens... »

Mais aussitôt il me repousse. Un talon sonne et la porte qui donne sur le jardin s'ouvre brusquement sur Nathalie, tout essoufflée. Elle se fige une seconde, puis jette avec une indignation mal définie :

« Vous êtes là ! »

Il faudrait m'expliquer, mais j'ai peur que ma voix tremble, je ne pense qu'à lui cacher ma confusion. Nous a-t-elle aperçus à travers les vitres qui sont, Dieu merci, d'un mauvais verre ancien où les objets se déforment ? Il y a tant de soleil dehors qu'il doit être difficile de voir ce qui se passe dans l'ombre d'une maison. Et même si Nat a vu quelque chose, elle ne peut rien déduire d'un attitude équivoque : nous étions debout et on ne peut pas évaluer en centimètres le droit que possède toute belle-fille de se serrer affectueusement contre son beau-père. Penchée sur la casserole, j'y lance du tilleul à poignées.

« C'est de la soupe que tu fais là ! » dit Nathalie.

Elle passe et le froissement régulier de ses cottes décroît vivement dans l'escalier où elle va se hisser marche par marche, en forçant sur le genou.

« Elle n'a rien vu », murmure Maurice.

Rien vu ou rien dit, avec Nat, on ne peut pas savoir. A la paysanne, elle braille pour des vétilles et tait longuement les choses graves. Berthe arrive à la traîne avec un bouquet de pâquerettes aux queues ridiculement courtes. « Pour Maman », répète-t-elle à satiété. Le tilleul est trop fort et plein de débris : il faudra le filtrer, puis l'allonger... Mais quel est ce cri ?

« Tu entends ? » dit Maurice.

J'entends, je comprends si bien que je me précipite, à peu près folle. Le cri s'étire, devient la haute plainte qui salue dans les fermes en deuil l'arrivée des femmes de la famille, venues renforcer les pleureuses. Il envahit, il déchire toute la maison, tandis que Maurice me bouscule pour passer devant, pour entrer le premier dans la chambre où Nathalie, de toute sa masse, est effondrée sur le lit. A notre approche elle se retourne d'une seule pièce vers Maurice, et ses yeux, déjà noyés, flambent de haine :

« Vous étiez deux ! Deux ! Et vous l'avez... »

Les mots gargouillent dans sa gorge, elle renonce et la voilà qui tire son mouchoir à carreaux, le plie d'une certaine façon, posément. Maman n'a pas bougé. Elle est toujours au milieu de l'oreiller, le cou au ras du drap brodé d'un grand M. Ses yeux sont parfaitement clos. Mais son hideux placard a perdu toute couleur et la bouche est ouverte...

« Le cœur a lâché ! dit Maurice.

— Le docteur ! Faut chercher le docteur ! » piaule Berthe, qui commence à comprendre et piétine en pleurnichant, ses pâquerettes tombées sur le parquet.

Elle m'a saisi un poignet. Maurice a saisi l'autre. Nous regardons, hébétés, faire Nathalie qui rattache le menton, noue le mouchoir autour de la tête encore souple : on dirait que Maman a mal aux dents, qu'elle se laisse docilement mettre une fanchon. Et la statue de glace que je suis devenue se demande confusément quel cœur a lâché : le sien ou le nôtre ? Nous étions deux, nous étions deux et nous l'avons laissée partir seule.

XX

On se rend mal compte de ce que la mort emporte avant qu'elle ne soit là et même quand elle est déjà là : un cadavre a trop de présence, il est encore fait chair autour des prochains os, il semble dormir vraiment de ce dernier sommeil qui est pour nous sa dernière illusion.

La disparition de ma mère, je ne l'admis tout à fait qu'à l'heure de la mise en bière. Jusque-là je n'avais été qu'une mécanique. J'avais voilé des glaces, enlevé les médicaments, les objets brillants, le calendrier, rangé la chambre, amené des prie-Dieu et des chaises, pris et repris la veille, reçu des gens — en très petit nombre — écouté leurs formules, feint de dormir, de manger, de prendre part à toutes ces choses qui harcèlent la désolation, mais qui aussi l'occupent : déclaration de décès, noir express, faire-part, règlement des obsèques, course hâtive au crêpe qui manque, au papier qu'on exige... J'entendais clairement les voisines, Mme et Mlle Gombeloux, chuchoter en me cernant d'un regard plus humide que le mien ; je voyais des commerçants s'incliner dans leur compassion de commande, je débattais les prix — puisqu'il faut marchander son deuil. En fait j'étais à peine lucide et comme anesthésiée par le chagrin qui, à trop forte dose, devient sa propre morphine.

Je pus encore choisir un de nos plus beaux draps (pas le plus beau tout de même, pas celui à rabat de dentelle et triple jour de Venise, fait au cerceau par grand-mère) pour le transformer en suaire et aider à habiller la morte dont les cheveux gardaient leur parfum habituel. Mais mon courage céda lorsque je vis Mme Gombeloux glisser un petit oreiller dans le cercueil, sous la nuque de Maman, en disant :

« Elle sera mieux comme ça. »

Et ce fut bien pis quand un employé des pompes funèbres, refermant le couvercle, se mit en devoir de le visser. Berthe se mit à vomir, par petits hoquets, sur sa robe et je reculai vers la porte. Nathalie, qui observait tout d'un œil rouge, interrompit brusquement le lamento qu'elle venait de reprendre, selon l'usage de nos campagnes qui met la voix en berne, sauf en quatre occasions où elle doit se hisser au cri : après le dernier soupir, les clous, la levée du corps et la descente en fosse :

« Emmenez-les donc ! Soyez donc utile à quelque chose ! » cria-t-elle à Maurice.

Maurice nous emmena dans la cuisine. L'apostrophe était assez injuste : il avait dépensé beaucoup de tact, de triste empressement. Il avait fait l'impossible, en se rendant lui-même auprès du curé — malheureusement bloqué par l'intransigeance de l'abbé — pour éviter l'enterrement civil. Mais Nat ne lui pardonnerait jamais ce scandale. Elle ne le disait pas, elle respectait la trêve du corps que s'imposent les plus âpres héritiers. Elle n'en pensait pas moins, le tenant pour trois fois responsable. En épousant Maman, ne l'avait-il pas mise sur le parvis ? Ne l'avait-il pas détournée, les derniers jours, de ses derniers remords ? Et si mal surveillée, à l'instant critique, qu'elle était morte seule, changeant peut-être d'avis, implorant la piqûre qui lui aurait permis de se prolonger jusqu'à l'absolution ? Déjà l'idée la torturait qui serait la source d'une rancune fanatique et qu'elle finirait par m'avouer, beaucoup plus tard :

« Sauf contrition parfaite, à l'article, on ne l'a pas seulement perdue sur la terre, Isa ! On l'a perdue, grâce à l'autre, pour l'éternité ! »

Tandis que Maurice aidait Berthe à se nettoyer, dans la cuisine, j'essayai de le défendre.

« Je monte ? » avait-il proposé : la grande coupable, c'était moi, bien que ni piqûre ni soins n'eussent sans doute rien changé au dénouement. L'absence du curé, dont le rôle se serait borné à celui de maître des cérémonies — qui est si souvent le sien — ne me choquait pas : Maman l'avait prévu, et les enterrements ne sont pas faits pour édifier les survivants, ni les larmes pour rallonger l'eau bénite. Mais malgré mes efforts je ne parvenais pas à sortir de sa contradiction, à m'empêcher de penser : « Elle sait maintenant ! *Elle sait !* » et, sans deviner encore où ce sentiment allait me mener, je regardais Maurice avec les yeux qu'elle aurait eus si, de son vivant, elle avait su. Il était devant moi, imperturbable et pourtant décomposé. Lâchant Berthe, il remplissait deux verres d'eau, y laissait tomber quelques gouttes de Ricqlès.

« Buvez », nous dit-il, presque durement.

Berthe but son alcool de menthe. Moi aussi, après y avoir ajouté deux morceaux de sucre — et ce détail eut l'air de rassurer Maurice. Mais un grand bruit de talons dans l'escalier, le heurt d'une masse lourde contre la rampe me remirent en alerte : on descendait le cercueil dans la salle, où Nathalie, luttant jusqu'au bout pour les apparences, ne manquerait pas d'amener quatre flambeaux, un crucifix, un rameau de buis dans une soucoupe. Je pris la main de Berthe et l'entraînai dans le parc.

Mais à son tour le grand cerisier, de toutes ses fleurs, me rappela qu'il avait — d'après Maman elle-même — été planté l'année de sa naissance, que branche par branche il témoignait pour elle et que pourtant, malgré ses loupes et ses gommes, il lui survivait. L'élan du foin, noyant à mi-hauteur les poteaux de clôture, la joie des moineaux filant paille au bec sous nos solives, la folle dépense de panache d'un écureuil grimpant à pic au tronc d'un châtaignier me parurent déplacés. La Fouve — que Maman n'avait guère aimée — ne portait pas son deuil.

☆

Le même temps, le lendemain, éclaira son départ que n'accompagnait aucun glas. Il n'y avait presque personne. Nantes avait délégué un juge, un substitut boiteux, trois avocats dont maître Chagorne, un fondé de pouvoir des Conserveries, un autre de la Biscuiterie. Du bourg n'étaient venus que le notaire, un adjoint et le docteur Mahorin, tous visiblement embarrassés. Sauf les dames Gombeloux, qui se feraient certainement critiquer, chacun était là par obligation professionnelle pour enterrer Mme Méliset, femme de maître Méliset et non Isabelle Goudart, ex-Duplon, ma mère.

Pour cette raison même, je m'attendais à la

défection de Nathalie, entourée d'un prétexte qui n'abusa personne.

« Moi, je vais garder Berthe. Elle est comme un chien qui a perdu son maître. Elle ne saurait pas se tenir. »

Sa retenue solennelle, le grand signe de croix dont elle salue, debout sur le seuil, l'ébranlement du convoi, la trahirent mieux. Ce corps, qui avait cédé à Maurice, elle le lui laissait maintenant : c'était son lot. Elle gardait le reste, l'âme furtive et fautive de sa Belle, qu'elle défendrait dans un acharnement de neuvaines à faire faillir le Jugement.

Je ne la vis pas rentrer. J'étais dans la Vedette, avec Maurice, immédiatement derrière le fourgon. Trois autres voitures avaient suffi à caser tout le monde et rien ne ressemblait moins aux vrais enterrements — ces lents défilés aux préséances strictes, soufflant les chapeaux et figeant un village sur ses pas de porte — que ce rallye funèbre arrivé en deux minutes dans un cimetière vide, où nous rejoignirent soudain M. Méliset père et sa secrétaire, fort attentive à ne pas gâter ses souliers dans la glaise bleuâtre rejetée par la pelle du fossoyeur.

« Envoie ! » chuchota le chauffeur en ouvrant la porte arrière du fourgon.

Le cercueil fut aussitôt descendu, glissa dans les cordes en éraflant les parois de la fosse d'où se détachèrent deux ou trois de ces pierres plates qui farcissent nos terres et qui firent résonner le couvercle. J'étais transie, enfoncée dans mon noir, malgré le soleil. Les assistants se regardaient, hésitants, choqués par l'absence du cérémonial qui répond à notre plus profonde inquiétude et nous rassure sur une fin qui n'est pas une fin, puisqu'elle semble, de *requiem* en *libera,* tenir Dieu en haleine. L'ordonnateur les soulagea un peu en distribuant des roses et ils défilèrent pour les jeter dans la fosse, après nous. Maurice s'appliqua, comme s'il visait. La mienne tomba toute seule, honteusement lâchée. Emporté par l'habitude, le docteur Mahorin se servit de sa branche comme d'un goupillon et, dans ce geste, la rose s'effeuilla. Le substitut boiteux, embarrassé par sa canne et son chapeau, laissa tomber sa fleur, qu'il ne ramassa pas. On me prit par le bras pour me ranger un peu plus loin, sur le gravier de l'allée, étoilé de pissenlits. On releva mon crêpe. On me serra la main, après celle de Maurice, courbé par les remerciements.

« Tu sais, pour elle, c'est une délivrance ! » dit Mme Gombeloux, en m'embrassant.

Maître Ténor fut aussi maladroit, me tapota les mains en répétant la même formule stupide :

« Tu sais, pour elle, c'est... »

Une délivrance, oui, je savais. Et je savais qu'il ne se sentait pas moins délivré, qu'il était venu pour le laisser entendre à son précieux fils, autre libéré. Les yeux secs — et peut-être jugée sur ces yeux-là par certains — j'avais hâte de retrouver ma peine en me retrouvant chez moi, de quitter ce cimetière d'où Maman me semblait aussi absente que grand-mère, ensevelie comme elle dans le *carré* des Madiault. La vraie tombe de nos proches, c'est leur maison où leur vie s'est incorporée aux meubles remplis de leur linge, aux objets qui nous imposent leur goût, à l'air encore sonore de leurs quintes. La vraie tombe de Maman, ce serait La Fouve, sous sa girouette en forme de croix.

« Allons, viens ! dit enfin Mme Gombeloux, qui attendait, peu soucieuse de rentrer à pied.

— Je vous dépose en passant », dit Maurice, exaspérant de politesse et de dignité.

Des autos démarraient, dans une indifférence grincheuse de moteurs. La nôtre partit la dernière, rattrapa la vieille Renault du docteur Mahorin, puis la Simca de maître Chagorne. Au Clos-Bourelle, les dames Gombeloux descendirent, en retirant leurs gants. Maurice inclina la tête sans rien dire, et sans rien dire m'amena jusqu'au garage. Au-dessus du toit un filet gris montait, à peine rabattu vers l'est. J'entrai dans la cuisine, submergée de silence. Berthe, en se tamponnant les yeux, suçait un sucre d'orge. Nathalie, son livre de messe à bout de bras, lisait l'office des morts.

« Nous déjeunerons quand vous voudrez, madame Mériadec », dit Maurice sans s'arrêter.

Alors, Nathalie, fermant son paroissien, vint retirer les épingles qui maintenaient mon voile.

« Il ne t'a pas dit quand il partait ? » demanda-t-elle tout bas.

Je secouai la tête lentement : sans songer à m'étonner de cette hâte ni même de la question.

XXI

LE jour même la trêve était rompue ; la situation commençait à pourrir, plus vite encore que ma mère dans sa tombe. Là où n'était de mise que la consternation, l'aigreur s'insinua, feutrée ; puis, toujours décente, la bataille s'organisa. En quelques heures La Fouve ne fut plus qu'un champ clos où s'affrontaient sournoisement Maurice et Nathalie, attentifs à ne rien avouer de leurs vrais sentiments, de leurs vrais buts et raccrochés à de pauvres arguments, à de misérables questions légales.

A midi Maurice redescendit. Il avait changé de costume, gardant seulement une cravate noire. Il s'installa devant une assiette de pommes de terre bouillies — grand deuil veut grand jeûne — et le beurrier, en silence, passa de l'un à l'autre. Ensuite il n'y eut que du fromage blanc, que nous détestions tous. A la dernière bouchée, Maurice ouvrit enfin la bouche :

« Je m'excuse, madame Mériadec, mais je ne retrouve pas l'adresse de M. Duplon. Il faut pourtant que je le prévienne.

— C'est fait, dit Nathalie. J'ai donné la lettre au facteur.

— Ah ! bien », fit Maurice, dont les sourcils se rapprochèrent.

Il roula sa serviette et remonta. Une de ses mains en passant avait essayé de toucher la mienne : sans succès. Bientôt le bruit de ses pas, leur va-et-vient entre la chambre grise et la chambre bleue nous eurent renseignées. Nathalie s'immobilisa, les bras croisés, l'oreille tendue :

« Il remet ses affaires chez ta mère », dit-elle.

Elle me regardait, sévère, comme si je pouvais lui en rendre compte. Ses bajoues tremblaient. L'incertitude, le souci de respecter ce jour, la présence de Berthe l'empêchaient de crier : « Enfin qu'est-ce qu'il est, qu'est-ce qu'il veut faire, maintenant, à La Fouve ? Il n'a plus qu'à s'en aller ! » Mais je la comprenais très bien, à demi-mot. Berthe sur les talons, je montai à mon tour. Nathalie me suivit, en souriant :

« Cette pièce-là, vois-tu, je voulais que rien n'en bouge. »

Dans la chambre j'éprouvais une sorte de pincement au cœur. Le lit était fait, bien tiré sous sa housse de satin pervenche. Maurice fouillait l'armoire.

« Laissez donc, monsieur Méliset, je rangerai tout ça, ces jours-ci », dit Nathalie.

Maurice ne répondit pas et leva les yeux sur moi, cherchant mon regard pour retrouver son alliée.

« Vous vous réinstallez ici ? fis-je à mi-voix.

— Où veux-tu que j'aille ? Il faut bien que je rende sa chambre à Mme Mériadec. »

Vexé par le vouvoiement, il remit des papiers dans l'armoire ouverte devant lui, en prit d'autres. Je les connaissais bien : ce mélange de factures, de lettres, de coupures, de petits comptes, griffonnés sur des dos d'enveloppe et entassés sur le troisième rayon par le doux désordre de Maman, ne contenait rien que de futil. S'il cherchait un acte important, il n'avait qu'à me le demander. Du reste, tout tri et toute recherche ne m'incombaient-ils pas à moi, la fille ? L'idée me vint soudain que j'étais chez moi, que personne, pas plus lui que Nat, n'avait à y faire démonstration d'autorité. Je préparais une phrase susceptible de le leur faire gentiment sentir, à l'un comme à l'autre, quand Maurice prit les devants :

« Je m'excuse de vous parler de ces choses, mes pauvres enfants, dit-il, mais vous n'imaginez pas par quelles complications nous allons passer ! Vous êtes mineures... »

Il disait cela benoîtement, sans se douter

une seconde de la bouffée d'hostilité qui me brûlait la gorge. Mineure ! Je l'étais aussi le 24 mars et il n'y avait pas songé. Cependant il continuait sur le même ton :

« Et deux mineures, avec un père divorcé qui va reprendre ses droits, un conseil de famille difficile à constituer faute de parents proches, une succession qui se réduit à une maison et nous contraint à l'indivis, sans préjudice d'interminables formalités... Voilà, je vous assure, qui nous promet de beaux jours !

— Vous voyez sombre, dit Nathalie. Chaque petite a sa moitié de Fouve, quoi ! Elles n'auront qu'à rester ensemble, comme devant. »

Maurice se retourna vers elle. Tous deux avaient perdu leur voix de circonstance et je les écoutais avec répugnance.

« Ne vous faites pas d'illusions, madame Mériadec. A supposer qu'elles puissent vivre de leur maigre pension, comment entretiendront-elles La Fouve ? Comment acquitteront-elles les droits de mutation ? Et je ne parle pas de mon quart d'usufruit dont je leur ferai volontiers abandon...

— Votre quart ! fit Nat, indignée.

— Laissons cela, dit Maurice. Je ferai pour le mieux. »

De nouveau son regard monta, cherchant le mien et ne le trouva pas. J'étais effrayée. Comment n'y avais-je pas pensé ? Le peu de connaissances acquises à Nantes me permettait de savoir qu'il disait vrai : tout époux survivant a droit au quart en usufruit des biens propres du défunt. Maurice offrait de s'en dessaisir, mais en attendant il était bien dans *sa* chambre, il avait barre sur nous, il nous transformait en esclaves de sa générosité et si d'aventure je ne m'en montrais pas digne, il pouvait m'acculer à vendre la maison. Ma maison. Ma Fouve !... Nathalie m'observait, sûre de ma réaction. Je sus pourtant ne pas me trahir. Prudence ! Moi aussi, j'avais barre sur Maurice. Un languissant sourire, enfin, le récompensa de ses dons. Puis je murmurai :

« Ecoute, Maurice, moi aussi, cela me gêne de parler aujourd'hui de ces choses. Mais je veux te le dire tout de suite : je ne pardonnerai jamais à qui me ferait perdre La Fouve. Je trouve déjà scandaleux qu'on puisse débattre, sans me consulter, de ce à quoi je tiens le plus au monde. »

Ni Maurice ni Nathalie ne parurent satisfaits. Pour Maurice, malgré le retour du tutoiement, La Fouve ne pouvait plus être ce à quoi je tenais « le plus au monde ». Pour Nathalie j'étais en train de faiblir. Elle s'avança, me mit sur l'épaule une main protectrice.

« Tu auras bientôt dix-neuf ans, dit-elle. Ton père peut t'émanciper. Quant à Berthe, c'est sûr, il faudra qu'il s'occupe d'elle ou qu'il se décharge sur quelqu'un. Mais il me connaît, il sait que je suis de fondation, à La Fouve. »

Aussitôt, elle décrocha, remmenant sa pupille. Etonnante Nathalie ! Si elle n'était pas contente de moi, j'étais, inexplicablement, très contente d'elle. Mais il ne fallait pas que Maurice s'en aperçût. Contracté, continuant à fouiller nerveusement dans l'armoire, il n'osait pas crier, lui non plus : « Mais enfin, qui est le maître, ici ? De quoi se mêle-t-elle, cette bonne ? » Il la regardait même partir, aussi dolente qu'il convenait, aussi solide qu'il fallait, avec autant de respect que d'irritation, et quand la porte du vestibule eut enfin battu, il dit seulement :

« Nous aurons des ennuis avec Nathalie. »

Un peu de surenchère lui parut souhaitable. Il ajouta :

« Pour l'émancipation, je suis d'accord ; j'en parlerai à ton père. Ce serait délicat, pour moi, d'être ton tuteur. »

Puis, voyant bien que je n'en pouvais plus, que j'étais incapable d'en entendre davantage devant cette housse pervenche, aux plis raides comme ceux d'un catafalque, il voulut m'attendrir et m'attira contre lui, pudiquement.

« Ma pauvre chérie, que tout cela est donc pénible ! »

Je supportai son baiser. Mais, repartie vers ma chambre, je m'essuyai la joue.

☆

Et là, malgré ma lassitude, malgré l'envie d'être simplement une fille qui a perdu sa mère, qui se laisse couler dans son chagrin, je me mis à tourner sur mes souliers noirs.

A tourner, à tourner en me répétant : « Que se passe-t-il ? Cette histoire, à propos de La Fouve, est grave. Mais il n'y a pas que ça. » Jamais je ne m'étais moins comprise. Entre Maurice et moi, soudain, il y avait comme un barrage. Je me disais en vain : « Voyons, son jeu est clair. La Fouve, pour lui, c'est l'ennemie, où je suis retenue, où il est obligé de s'encombrer de Berthe et de Nathalie. Une bonne vente, dont il n'apparaîtrait pas trop responsable, qu'il pourrait mettre sur le compte d'insurmontables difficultés légales, ferait bien son affaire. La Fouve liquidée, Nathalie le serait du même coup ou casée quelque part, avec Berthe. Il n'aurait plus qu'à s'occuper de moi... C'est simple ! Je n'ai qu'à tenir sur le thème : point de Fouve, point d'Isa. »

Mais non, ce n'était pas si simple. Ce différend n'expliquait pas mon trouble, ne justifiait pas cette sorte de refus, ce recul que je m'imposai brusquement devant Maurice, comme s'il était devenu intouchable. Le souci d'être toute à mon deuil — sali, empoisonné par mon indignité — en rendait mieux compte et Maurice l'avait bien compris, qui osait à peine m'effleurer et attendait des heures moins graves, blotti dans son rôle de beau-père. Mais il y avait autre chose, rendant cette séparation plus profonde et peut-être définitive. Il s'était vraiment, entre nous, creusé comme un fossé.

Je m'arrêtai un instant de tourner, je murmurai : « Pas un fossé, mais une fosse. » De nouveau cette idée me traversa : « Elle sait maintenant, elle sait ! Et ne saurait-elle pas, là où elle est, que rien quand même ne serait plus possible. On ne fait pas un compagnon avec un complice. Quand il s'agit d'un bonheur qui faisait le malheur d'une mère, comment profiter de sa mort sans la ressentir comme un crime ? Vivante, elle nous a rapprochés ; morte, elle nous sépare. »

De l'autre côté du palier, dans la chambre bleue, craquaient les souliers de Maurice, acharné dans son inventaire. Non, ses yeux sortis du sac à marrons, ses cheveux partagés en deux comme un livre ouvert, sa forte poitrine rongée de poils au centre et qui se gonflait sous la main quand on lui remettait sa cravate, sa gourmandise d'enfant dans le baiser et son sérieux d'avocat sur le rabat, ce n'était plus pour moi. « Ta mère, disait mon tourmenteur, l'aura eu bien plus que toi. Tu as pu lui prendre son mari, tu ne lui prendras jamais son veuf : on ne divorce pas sous la terre. Maurice est libre, sauf pour toi. Tu es libre, sauf pour Maurice. Oserais-tu bien faire l'amour avec l'homme que tu lui as volé, dans le lit où ta mère est morte ? Si Maurice condamne

La Fouve, il a ses raisons. Il faut choisir l'un ou l'autre. L'un sans l'autre. Et comme tu ne saurais vivre ailleurs qu'ici, le choix est tout fait entre deux châtiments, dont ceci est le moindre. »

Je me retrouvai devant ma table. Le moindre ! C'était vite dit. Rien ne me garantissait de ne pas tout perdre : l'homme et la maison. La maison se vengeait de l'homme, entré de force sous son toit, en le bannissant. L'homme pouvait se venger de la maison, en la vidant de nous. La lettre de Nat ne suffisait pas : il fallait, moi aussi, pour faire nombre, écrire à mon père. Il était dit que je ne pourrais pas me recueillir de la journée. Je saisis mon stylo en regardant, pour m'excuser, la photo de Maman, très jeune et très belle, encadrée de cuir vert.

☆

Une demi-heure plus tard, je me relisais, plus satisfaite de mon texte que de ses complaisances. Qu'éprouverait ce père inconnu, relié à nous par le seul mandat mensuel et qui n'avait jamais revendiqué son droit de visite, jamais cherché à revoir Maman ? Un malaise sans doute : cette maigre peine, à base de peur, qui s'appesantit sur ce qui disparaît de nous dans la disparition d'un autre être et se sent diminuée d'un souvenir comme on est diminué d'une dent. Un peu d'ennui, aussi, d'effroi devant la paperasse. L'éloignement, les demi-frères, l'empire de Mme Bis, l'état de Berthe le détourneraient certainement de nous reprendre et même de venir. Je faisais d'ailleurs mon possible pour flatter sa lâcheté en lui affirmant — dans un court post-scriptum griffonné au bas de la quatrième page — que « pour les formalités » il suffirait de faire très vite la très courte démarche nécessaire pour mon émancipation et d'envoyer une procuration à Nathalie, dont il connaissait le dévouement, bien supérieur à l'inexpérience d'un beau-père sous la coupe duquel il comprendrait aisément que nous n'ayons aucun désir de rester.

De nouveau je regardai Maman, dans son cadre. Puis d'un long coup de langue je mouillai l'enveloppe, vite cachetée, timbrée, glissée dans mon chemisier. Maurice fourgonnait toujours à côté. Maman avait donc oublié de lui dire que les papiers de famille se trouvaient dans le tiroir à déclic de la grande armoire, cœur de la salle, elle-même cœur de La Fouve ? Oublié ou omis ? Les femmes sans ordre ont de ces roueries d'écureuils cachant leurs noix. Les moins secrètes ont de ces petites fidélités aux lois du clan. Une idée me perça la tempe et je fus sur mes pieds, filant sans bruit vers le saint des saints. La salle était vide, l'armoire fermée. Je tournai la grosse clef aux bouterolles compliquées. Sous la planche du milieu, il y avait deux tiroirs. Celui de gauche, libre, contenait un reste d'argenterie. Pour ouvrir celui de droite, il suffisait de pointer l'index : dans ces meubles naïfs aux mystères enfantins et que seuls nos scrupules protègent, nul ne peut ignorer l'emplacement d'un poussoir.

Et le tiroir s'ouvrit, m'offrant double surprise : la bonne et la mauvaise. Sur un fond de vieille paperasse — baux du précédent siècle, acte de propriété périmés, acte de cession, proclamant notre vieille décadence — il y avait une boîte à pansements et une enveloppe. Dans la boîte, deux bagues de fiançailles : celle de Maman et, miracle ! celle de grand-mère, secrètement sauvée de nos ventes par cette « piété de pie » qui s'accroche au diamant et capable à elle seule de sauver La Fouve. Mais dans l'enveloppe, mise là très certainement le jour où, rentrant de La Bernerie, on avait abandonné l'anneau de Papa, il y avait une feuille de papier à lettres et, sur cette feuille, ces lignes extravagantes :

Je soussignée, Isabelle Goudart, femme Méliset, lègue à mon mari, Maurice Méliset, la quotité disponible de mes biens et dans la mesure où leur père y consentira le recommande comme tuteur de mes enfants...

Dieu merci, j'arrivais à temps.

XXII

Je ne saurai jamais si je dois avoir honte ou tirer gloire de la suite. J'imagine du reste qu'en tout ce que nous faisons le meilleur balance le pire, qu'on ne s'y reconnaît guère et qu'il serait impossible de vivre s'il fallait justement trop s'y reconnaître. On croit se sacrifier, on ignore que ce sacrifice est une âpre jouissance accordée à une secrète part de nous-mêmes. On croit être égoïste et on s'aperçoit qu'on l'a été avec tant de faiblesse que tout le monde, sauf nous, en a profité. Des dupes, voilà d'abord ce que nous sommes...

Qui l'était le plus, qui l'était le moins, à La Fouve ? Après une soirée difficile, où j'avais évité autant que possible de me trouver seule avec Nathalie ou avec Maurice, la nuit était venue, encrêpant la maison. Puis le jour revint. Je crus m'être levée la première, mais Nat, déjà dans la salle, disputait avec Maurice du choix d'un notaire. Elle tenait pour le nôtre, maître Harmelet. Il tenait pour le sien, maître Roye, disant que de toute façon si M. Duplon désavouait maître Harmelet, maître Roye représenterait toujours une des parties. Je me gardai bien d'arbitrer le débat, et Maurice s'étant lui-même bien gardé de m'emmener, pour être plus à l'aise, je le laissai partir, à neuf heures, vers l'étude de son choix. Nathalie se retourna aussitôt contre moi :

« La nuit que j'ai passée, ma fille ! Dire qu'il me l'a enterrée comme un chien ! Et qu'il s'accroche... Dieu sait pourquoi ! »

Par bonheur elle s'en tint à peu près là, se contentant d'incriminer l'abbé qui avait fait bien du tort à la paroisse :

« Il ne sait donc pas, celui-là, que dans les bons pays, remords passe punition ? Faut toujours laisser croire que les gens se sont repentis, même si on en doute. Ça rassure le monde et ça n'affiche pas le mal. »

Puis, le spirituel l'emportant sur le temporel, elle nous composa un horaire convenable. Le *de profundis* fut récité toutes les trois heures, à genoux, devant la cheminée de la salle. Une « chaîne de prières » anonyme fut lancée, recopiée treize fois pour être expédiée à treize dévotes, plutôt âgées et proches de leur purgatoire, qui n'oseraient pas s'attirer le ressentiment du ciel en la brisant, mais au contraire s'emploieraient à la ramifier dans le canton. Enfin Nat décida que tout dessert serait supprimé durant trois mois et calcula au plus juste, sur la base de cent francs d'économie par jour, ce que cela pouvait représenter de messes, imposées au curé sous la forme d'une « intention particulière », non définie. Au tarif, cela en faisait presque dix et elle renifla quand je lui offris d'abandonner ce tiers de paie que je conservais pour moi. Pourtant elle refusa :

« Non, dit-elle, ce qui a du prix, c'est ce qui nous prive longtemps. Le souvenir et les cierges, ça brûle à petit feu. »

Mais le soir quand Maurice revint avec maître Roye pour prendre les premières mesures conservatoires d'usage, je compris pourquoi elle ne m'avait pas, de la journée, lâchée d'un millimètre. Elle s'effaça soudain d'une façon singulière et dans le tiroir à déclic où, annonça-t-elle, « Madame mettait ses papiers », furent découverts une bague de petite valeur — celle de Maman — et, à l'étonnement général, trois cent mille francs de bons du trésor dont j'étais bien sûre qu'ils n'y étaient pas la veille.

☆

Les jours suivants, Nathalie, affectant de

m'avoir reprise en main, me laissa sans difficulté retourner à Nantes. Elle m'avait même soufflé :

« Ça ne m'emballe pas que tu y retournes. Mais l'autre est dans les lois comme un canard dans l'eau. Mieux vaut savoir ce qu'il mijote. »

J'étais pourtant encore mal assurée de mes intentions. Maurice me faisait peur et son assurance, égale à celle de Nat, m'en imposait. Avocat, il ne pouvait pas ignorer que ses chances demeuraient discutables, mais il comptait sur moi avec un aveuglement d'homme : fille possédée, fille à merci, c'est une maison dont on a la clef.

Il faisait du reste tout son possible pour la dorer, sa clef. Dès le premier jour, pour ne pas être en reste sur l'adversaire — il avait certainement compris d'où venaient les bons du trésor — il passa chez maître Roye où il renonça négligemment, en ma présence, à son fameux quart d'usufruit, en déclarant qu'il ne voulait pas être accusé d'avoir fait tort à ses belles-filles, déjà maigrement pourvues. Ce trait me toucha plus que je ne saurais le dire et il y ajouta beaucoup en se montrant d'une véritable discrétion de fiancé.

Mais une visite inopinée de maître Ténor, qui s'enferma dans le bureau de Maurice, gâcha tout. La seule présence de cet homme qui était en quelque sorte mon beau-père de la main gauche, auprès de son fils, qui l'était aussi, mais de la main droite, me rappelait cruellement l'ambiguïté de la situation. Elle signifiait aussi clairement que, lui pardonnant une boulette réparée par le miséricordieux hasard, le bonhomme venait paternellement assurer sa progéniture de sa sollicitude et sans doute l'engager à quitter au plus tôt La Fouve, où ce n'était plus son affaire d'entretenir les filles de sa défunte. L'idée qu'il pouvait me soupçonner de m'accrocher, par intérêt, aux basques de Maurice, me hérissa. Elle me fit aussi du bien : c'était un argument de plus. Mais l'argument devint intolérable quand maître Ténor, après deux ou trois éclats de voix, sortit du bureau d'un pas sec. Devançant mon consentement dont il se croyait sûr, Maurice avait-il fait la folie de lui laisser deviner quelque chose ? Ce regard froid m'accusait-il d'avoir, après ma mère, jeté mon dévolu sur l'héritier de La Glauquaie ? Mon trouble fut assez apparent pour alerter Maurice qui, l'interprétant à l'envers, referma la porte pour se précipiter vers moi :

« Ne crains rien, dit-il. Papa voulait que je rentre à Nantes. Evidemment je ne pouvais pas lui avouer... Enfin, pas tout de suite. »

Il se penchait. Mais je détournai la tête en secouant mes cheveux roux.

☆

La grande explication n'eut lieu qu'à la fin de la semaine. A La Fouve comme à Nantes, Maurice commençait à s'énerver. Il supportait de moins en moins facilement les remarques aigres-douces de Nathalie. En face de moi, il essayait de s'installer dans une tendresse prénuptiale, nuancée de compassion, et y parvenait mal. Ma répugnance à lui accorder quoi que ce soit, il l'avait mise sans doute sur le compte du chagrin, d'une triste — et tardive — délicatesse envers la morte ; peut-être même y voyait-il une autre — et non moins tardive — délicatesse, l'ambition d'un amour gâché à qui s'ouvre soudain l'avenir et qui suspend des dons provisoires pour se rendre digne du définitif, pour se refaire une virginité. Enfin il n'y tint plus et un matin, en arrivant au bureau, m'enlaça d'autorité. Je me tordis comme un ver, mais il ne me lâcha pas.

« Isa, disait-il, je sais ce que tu penses. Tu te dis que tu as été ma maîtresse parce que tu ne pouvais pas être ma femme ; et que tu ne le seras plus, puisque je peux t'épouser. Mais Isa, je ne demande rien d'autre... »

Cependant, à l'angle de son coude, il me bloquait la tête : pour taire ses scrupules, bouche cousue de baisers l'est bien mieux que tout autre ! Secondé par une main qui savait m'amollir, il continuait, ce grand psychologue, de sa voix la plus chaude :

« Je te comprends bien, chérie. Sois tranquille. Moi non plus, je n'étais pas à mon aise, je n'étais pas fait pour ça. Mais maintenant nous sommes libres et je t'aime... »

Maintenant...! Le seul mot qu'il ne fallait pas dire pour qualifier cette liberté-là ! Et *je t'aime...* argument de ténorino, deux fois remis sur disque ! Les mots résonnaient dans ma tête, reprenaient tout leur sens : « Maintenant nous allons convoler, car il m'aime, n'est-ce pas, après ma mère, qui a eu un moment la jouissance de cet amour et qui me le lègue, en préciput et hors part, dans l'actif de sa succession. » Comment Maurice pouvait-il, à ce point, se tromper sur moi ? Pourtant, me pressant de plus belle, il murmurait dans mes cheveux :

« Evidemment, les gens vont jaser... »

Derrière cette voix qui parlait d'épousailles, je l'entendais, l'horrible murmure, le joyeux bouche à l'oreille du canton : « Vous savez ? Ils ne s'embêtent pas, à La Fouve ! La mère, après la fille et peut-être en même temps... Comme famille tuyau de poêle, on ne fait pas mieux ! » Je voyais d'avance l'ahurissement de maître Chagorne qui s'était incliné devant moi en disant : « Madame Méliset ? » et qui avait ravalé sa gaffe en apprenant ma qualité de fille Duplon et qui en ravalerait une autre quand, me donnant du Mademoiselle, il se verrait infliger ce nouveau rectificatif : « Non, madame Méliset, aujourd'hui. » Dans l'esprit et la bouche des moins médisants, quelle confusion en perspective entre les deux femmes ! Toutes deux Isabelle. Toutes deux ex-Duplon. Toutes deux « régularisées, par faveur spéciale d'un Maurice décidément condamné à « rechauler du sale » (comme dit si bien l'expression de ce pays où l'irrégulier se consacre mal et se fait aussi vite écailler par la malice que par l'ongle, un méchant badigeon).

« Mais j'ai mon plan. Je te dirai, tout à l'heure... »

Il avait ses yeux, son souffle de guépard. « Tout à l'heure ! se disait l'Isabelle que je hais, à moitié dégrafée. Tout à l'heure, parce qu'il faut d'abord être gentille, donner un gage. *Cela,* une fois encore je t'y autorise. Une dernière fois. Pour la honte qui t'est due, pour le parti que tu vas en tirer, mais non pour ton plaisir. Un plan ! Quel plan ? Tu dois savoir. A qui se livre, toute espionne sait ça, un homme se confie bien sottement, après... »

☆

Il se confia. A peine relevé d'une étreinte où j'avais renoncé à ma part de joie (et découvert ce que peut, dans son flamboiement, avoir de parasite celle d'un homme, accroché à nous comme l'orchidée à l'angle des branches), Maurice reconquit son grand sérieux de robin qui va plaider et, se rajustant, se repeignant, dit tout de suite :

« Ecoute, Isa, je vais te parler franchement. Tu n'as pas l'air de t'imaginer que d'une minute à l'autre nous pouvons être séparés. La situation est plus grave que tu ne penses. »

Sa façon de nettoyer son peigne, assez gras, en retirant les cheveux restés dans les dents, n'avait rien de dramatique. Ma renaissante ironie, alliée indispensable d'une renaissante hostilité, le nota, en se perdant un peu dans les regrets : j'avais aimé tirer moi-même la raie bien nette dont ce peigne était responsable.

« Tout dépend de toi, reprenait Maurice. J'ai écrit à ton père pour lui demander de me déléguer les pouvoirs qui lui font retour et que j'ai déjà exercés, puisque du vivant de ta mère je me trouvais automatiquement cotuteur. Il le fera ou il ne le fera pas. De toute façon, si tu te maries, la question est réglée. »

Comme d'habitude, mon silence dans les occasions graves — véritable panne de parole — l'encourageait. J'étais toujours sur le lit, inerte, la jupe mal rabattue, dans cette posture qui suppose tous les autres consentements.

Il s'enhardit :

« La pierre d'achoppement, vois-tu, c'est La Fouve. Tu m'as lancé une superbe tirade à son sujet, l'autre soir. Mais je t'en prie, réfléchis un peu. Nous allons nous trouver dans une situation délicate, qui nous interdit pratiquement de rester dans le coin. Il serait même préférable de quitter Nantes, au moins provisoirement et j'ai fait des démarches dans ce sens. Les gens sont méchants, tu sais ! »

Si je le savais ! Je pouvais même approuver, d'un signe de tête ; puis refermer les yeux comme le chat dont la souris s'approche. Il n'y verrait que l'indifférence de l'amoureuse, qu'enfin sa passion seule occupe. Il achèverait son œuvre.

« Et puis quoi, s'écria-t-il en effet, ne mâchons pas les mots ! Je ne peux tout de même pas m'enterrer toute ma vie dans ta précieuse baraque, à des kilomètres de mon travail, avec une vieille bonne qui me déteste et une pauvre fille dont le commerce n'est pas des plus folichons. Nathalie est en âge de se retirer. Quant à Berthe, sa place est dans une institution spécialisée où sa part de La Fouve permettra de l'entretenir, tandis que la tienne te constituera une petite dot. »

Pour se rattraper de son quart, il avait même pensé à ma dot, mon tendre ami ! Je m'étirai longuement, sans répondre. Mes yeux, à demi rouverts, étaient sans doute devenus inquiétants car Maurice s'empressa d'ajouter :

« D'ailleurs, si Nathalie veut garder Berthe dans un petit logement assez proche de nous pour que tu puisses les voir fréquemment, je n'y vois aucun inconvénient. »

Mais ceci ne changeait rien au programme. Ni à sa condamnation.

☆

Maurice se croyait pourtant vainqueur. Il vous avait un air, en rentrant, qui le criait à tout le monde. L'accrochage était inévitable et nous n'avions pas mis nos pantoufles que Nathalie annonçait, affectant de s'adresser à moi :

« On est allé sur la tombe, nous deux Berthe ; puis chez Carruel pour choisir le *ci-gît*. J'en ai profité pour traîner à l'étude. Maître Harmelet n'était pas trop content de n'avoir pas été appelé... »

Maurice lui coupa aussitôt la parole :

« Madame Mériadec, dit-il, jusqu'à plus ample informé, je reste chargé des intérêts de mes belles-filles. Laissez-moi faire, je vous en prie ; sinon, je serais obligé de me passer de vos services. »

Il rougit de sa propre impudence. J'en rougissais aussi, pour ma vieille Nat, grossièrement insultée. Mais pensez-vous ! Nathalie souriait. Elle répliquait, imperturbable :

« Ma foi, monsieur Méliset, on pourrait bien se passer plus tôt de vous que de moi. »

Il y avait dans la voix une ironie singulière, mais Maurice n'y prit pas garde : il ne se contrôlait plus.

« Et croyez-vous donc, cria-t-il, qu'un conseil de famille autorisera les petites à se payer le luxe d'une servante, quand elles ont, sans moi, à peine de quoi s'entretenir ? »

Au brusque relèvement de la coiffe, je crus que le coup avait porté. Je me trompai. Nathalie, au contraire, regardait l'adversaire de plus haut, avec une moue indéfinissable :

« On les a entretenues avant vous, dit-elle, et j'y ai, des fois, mis du mien, ça se sait. Pour reparler du conseil, je vais vous dire : ceux qui en seront vont vite se demander pourquoi vous voilà, vous, le parâtre, si fort incrusté auprès de jeunes filles qui ne vous sont rien.

— Vous dites ? » hurla Maurice.

Mais Nathalie avait déjà tourné le dos.

XXIII

C'EST la fin, mais ils ne le savent pas. Moi, je sais. Le hasard fait parfois bien les choses. Inquiétée par une courte averse, au réveil, j'hésitais à prendre mon samedi matin pour me rendre à mon tour sur la tombe de Maman et aller voir chez Carruel la dalle choisie par Nathalie. Au retour, je n'avais pas une chance sur dix de rencontrer en route ce facteur un peu *bu* qui m'a crié, trop content d'éviter le crochet de La Fouve où il ne lampe jamais le moindre godet :

« Tiens donc, Isa ! Prends-moi le courrier d'en bas. »

Petit courrier, en vérité : le *Rustica* du Clos-Bourelle, l'*Ouest-France* de chez nous, une lettre pour Nat portant le cachet de Pont-l'Abbé (sa cousine l'épicière), une carte de condoléances pour Mlles Duplon (l'institutrice laïque, empêchée). Et cette enveloppe, dont le timbre algérien vaut une mention d'urgence et que j'ai si vivement décachetée, pour lire les premiers mots : « *Ma pauvre enfant...* » et courir à l'essentiel.

Allons, Maurice a perdu. Sur papier à en-tête de sa Recette-Perception notre pauvre homme de père pour ses pauvres enfants enfile de pauvres formules... La mort de Maman, qui demeurait pour lui, malgré tout ce qui les a, *hélas !* séparés, la compagne de sa jeunesse, l'a « profondément affecté ». En ces pénibles circonstances, il est de tout cœur avec nous. La distance, son travail, les frais à comprimer, le souci de ne point créer de friction entre les deux familles, l'empêcheront, *hélas !* de venir, de nous assister comme il voudrait. Mais j'ai toute sa confiance, ainsi que Nathalie. Le nécessaire est fait, les pièces envoyées à qui de droit...

Pas un mot sur Maurice. Je reviens hâtivement. Le *Rustica* des Gombeloux est tombé dans leur boîte. Le reste du courrier, je le tiens sous l'aisselle, sauf la lettre de Papa, partie au vent, en petits morceaux. Ne disons rien. La scène d'hier suffit : je ne veux pas faire les frais d'une seconde en annonçant moi-même une nouvelle dont nul ne sait quelles réactions brutales elle peut déclencher. Il vaut beaucoup mieux que les hommes de loi s'en chargent, subissent les premiers feux. D'ici là, il me reste un bref délai de grâce pour préparer Nathalie en lui faisant comprendre qu'elle doit avoir le triomphe discret et pour préparer Maurice en lui laissant entendre que, s'il perd le contrôle de la situation, il n'est pas pour autant forcé de me perdre, qu'il vaudrait peut-être mieux qu'il s'en aille afin de ne pas me compromettre par une insistance insolite qui rendrait, même plus tard, notre mariage suspect. Au fond, la tutelle, il s'en moque ; il voudrait seulement être armé contre La Fouve, sa vraie rivale, et dans la mesure où — sans rien promettre — je pourrai lui faire croire qu'il n'a rien à en craindre, que sa présence au contraire gâte les choses et que son décrochage rendra le mien plus facile, il devrait accepter de faire sa valise.

Sa valise... Celle qu'il avait, mon ténorino, en arrivant chez nous et dont il était si fort embarrassé ! De cette exécution, le bourreau n'est pas gai, malgré sa liberté toute neuve, malgré ce vent qui lui secoue la jupe et fait frémir au-delà du tournant les arbres de La Fouve, un peu trop pavoisés de jeunes feuilles pour une maison en deuil. Au ras du talus, les interstices de la haie laissent briller du chrome. Maurice est rentré, plus tôt que d'habitude ; il a laissé sa voiture dehors. Où veut-il donc aller, cet après-midi ?

Où il veut aller ! Je vais le savoir tout de suite. Nathalie est dans sa cuisine dont la cheminée fume vers Carquefou (plein ouest : il pleuvra demain). Maurice fait les cent pas devant le portillon, fonce vers moi dès qu'il m'aperçoit et dit, sans préambule :

« Ça ne peut plus durer, Isa. Nathalie ne m'adresse même plus la parole. Tout à l'heure elle a crié à Berthe, à dix pas de moi : « Il « vient déjeuner, l'autre ! On n'a pas d'escalope « pour lui. » Je ne veux pas faire d'éclat, mais j'en ai assez. Il faut nous en aller, Isa.

— Pour faire clabauder tout le village ! Vous n'y pensez pas ?

— Tu ne coucheras pas chez moi. Je me suis renseigné ce matin. J'ai vu la supérieure d'une pension pour jeunes filles : elle est prête à te recevoir. Tu logeras chez les religieuses et tu travailleras au cabinet dans la journée. »

Admirables apparences qui me sauveraient la nuit pour me livrer le jour ! Nathalie est déjà sur le pas de la porte, le menton en avant, comme si notre conversation constituait pour elle une offense personnelle. Mon apaisante mission ne sera pas facile. Essayons tout de même :

« Maurice, je crois qu'en effet il vaut mieux vous retirer à Nantes, sur la pointe des pieds. Moi, pour le moment, je ne peux pas bouger, Nathalie ferait un scandale.

— Non, gronde Maurice, qui pilonne nerveusement dans la glaise, encore détrempée par l'averse, non, je ne peux pas te laisser dans cette glu. Elle te colle trop aux pieds. Si je ne t'emmène pas, je te perds ; et je ne veux pas te perdre. »

Aurait-il enfin des antennes ? Il me barre le chemin et l'âpreté de sa voix me remue plus que je ne voudrais. Par bonheur, sous l'aisselle, j'ai toujours ce courrier... Un détail de ce genre a faussé bien des drames, dispersé l'attention dans la mauvaise seconde. Maurice saisit le journal dont il fait machinalement sauter la bande, d'un coup d'ongle ; et je passe, la lettre de Nathalie au bout des doigts.

Vingt mètres au trot et me voilà près d'elle, protégée de Maurice qui ne viendra pas répéter sous son nez ce qu'il vient de dire. Mais Nathalie, autour de qui Berthe fait son gros chien, n'est pas moins enragée. Les yeux rivés sur le timbre, qui n'est pas algérien, elle cueille sa lettre, l'enfouit sans y toucher dans la poche de son tablier, attrape celle de l'institutrice pour l'examiner de près, la rejette sur la table et — mauvais signe — se croise les bras. Tout de suite, elle hausse le ton :

« Tu l'as entendu, l'autre, hier soir ? T'as vu si j'ai été patiente ! Je ne voulais pas lui chanter pouilles dans une maison de *miserere*. Mais là, vrai, je ne peux plus, fais-lui comprendre avant que ça tourne au vilain. S'il ne part pas, je vais en causer un petit peu à ton père.

Enfin, quoi, Joseph ! Il a son lit à Nantes, oui ? Il a besoin de salir nos draps ? »

Ses yeux, durs comme verre, sont encore plus méchants que ses images. Mais soudain ils se rapetissent et luisent, futés, entre d'indulgentes paupières. C'est que je viens de balbutier :

« Justement, je viens d'essayer...

— Ressaie, dit Nat, sans vouloir en entendre davantage. Ressaie. Tu peux gros sur lui. »

☆

J'en aurai même l'occasion tout de suite, Maurice s'avance, fripant le journal. Il a réfléchi, il a senti que je l'évitais, que je cherchais à gagner du temps et, le temps, je vais l'apprendre, c'est ce qui lui manque le plus maintenant. Nat se tait, m'encourage d'un curieux sourire, me laisse glisser vers la salle où Maurice me suit, me bloque contre le buffet :

« Nous partons, chérie. Sans rien dire, c'est le plus simple. Tu lui écriras, de Nantes, et je reviendrai chercher tes affaires. »

Rapt, tel est le programme. Mais, répétons-le, il s'agit d'un enlèvement sérieux :

« Je te conduis à Sainte-Ursule. Ton père ne te refusera pas son consentement et nous nous marierons dans les trois mois. Je pense ensuite lâcher le cabinet et partir pour Casa où les Conserveries m'offrent un poste de chef de contentieux. »

Cependant le genou entre mes genoux, les mains sur ma poitrine — faite à leur moule —, Maurice joue son jeu, utilise un meilleur argument : celui qui me parle au corps et surclasse tous les autres. Mais le pouvoir qu'il a sur moi, dès qu'il me touche, servira tout juste à le perdre.

« Nous partons », répète-t-il.

Sa bouche s'avance. Puisqu'il faut mettre les points sur les *i* pour que mon ange gardien soit sûr de ce dont il se doute, puisqu'il faut lui donner cette arme, laissons ce baiser-là, le dernier, nous arriver dessus. Quoi que vous en pensiez, Maurice, mon chéri, j'en garderai bon souvenir : mais vous m'aurez fait moins mal le soir où vous m'avez donné le premier. Car la porte est ouverte et Nathalie, arrivée sur ses traîtres chaussons, vous regarde avec satisfaction.

« Allez-vous-en », dit-elle.

Si j'étais Maurice, ah ! si j'étais Maurice, je ferais volte-face pour lui jeter au nez : « Mais oui, on s'en va, madame Mériadec. On s'en va tous deux, en amoureux, vers des jours heureux, comme dans la chanson... » Mais regardez-le, mon avocat ! Il est blanc. Il s'est bien vite détaché de moi, il se débat dans sa dignité perdue, il ergote :

« Ce n'est pas du tout ce que vous croyez, madame Mériadec...

— Allez-vous-en », dit Nathalie.

Berthe arrive, en traînant les pieds, ahurie, Nat la repousse d'une main dans le couloir. Maurice a encore un moyen de se rattraper, il n'a qu'à dire : « Viens ! » me saisir le poignet, filer avec sa proie, qui n'a ni force, ni pensée, ni même l'envie de se débattre, contre quoi que ce soit, et qu'étrangle en ce moment la certitude qu'il ne saura pas la sauver de ce qu'elle mérite. Mais il bafouille de plus en plus, il s'accroche à mon silence :

« Dis-lui, Isa... Explique-lui, parle donc !

— Allez-vous-en », dit Nathalie.

Elle reste figée, avec un entêtement de bouledogue, dont le mufle seul éloigne l'intrus. Maurice maintenant tient le bouton de la porte. De blanc il est devenu rouge, oreilles comprises. La colère des faibles commence à lui gonfler le cou. Va-t-il tout casser, tout déballer, s'en prendre à moi, toujours clouée sur la cloison par la terreur de le voir partir et la terreur de le voir rester ?... Non, même pas. Il se domine. Il hoche la tête, déçu, désolé, prudent, peut-être convaincu de réserver l'avenir ; il trouve une phrase pour couvrir sa retraite :

« Tu as raison, Isa, je m'en vais : tu sais où me rejoindre.

— Ça, je lui interdis bien ! » dit Nathalie, enfin lasse de son refrain.

Alors, parce qu'il y a chicane, Maurice retrouve de l'accent :

« Vous n'avez rien à lui interdire. Elle est émancipée, vous le savez comme moi.

— Si vous le savez, dit Nat, vous devez savoir que je représente M. Duplon, à cette heure. Et je vous ai dit de vous en aller... »

Tout s'éclaire maintenant : le magnifique sang-froid de Nat qui, hier soir, sortait de chez le notaire, la hâte de Maurice qui, ce matin, a dû recevoir à Nantes une lettre de Papa. Ils se sont tus comme moi : Nat pour que je ne suive pas Maurice, sur un coup de tête, pour que j'en vienne moi-même à lui conseiller de déguerpir ; lui, pour allier jusqu'au bout la tendresse et l'autorité, pour enlever l'affaire avant que ne se cabre ma fraîche indépendance. Enveloppée de ruses, comme je suis loin des cris qui honorent l'épilogue ! Je peux encore changer la victoire de camp : il suffirait de passer la porte derrière Maurice, qui vient de s'effacer. Nathalie ne bouche même pas le passage et, pour m'encourager, me gifle à la volée :

« Saleté ! Tu es bien la fille de ta mère. »

Soudain lasse et regardant sa main, elle tombe sur une chaise. Nous restons ainsi une bonne demi-heure, l'une devant l'autre, indifférentes aux gloussements de Berthe qui remplit le vestibule de « Qu'est-ce qu'il y a ? Qu'est-ce qu'il y a ? » A l'étage, on piétine, on s'attarde, on fait grincer des armoires. Puis l'escalier craque, sous le poids d'un homme à qui deux femmes, très occupées de lui, n'ont pu faire comprendre, en dix mois, qu'il ne faut pas poser le pied sur cette latte qui s'enfonce. Enfin après de faux démarrages, de grands coups d'accélérateur donnés à vide, comme des appels, comme si l'on espérait qu'une passagère se jette au dernier instant sur la portière, une voiture s'énerve et crie ses vitesses sur la route proche.

« Il était temps ! » dit Nathalie.

Mais dans cette maison où tout le monde a son dû, elle paiera la gifle qu'elle m'a donnée. Elle la paiera longtemps. Pour toute réponse et jusqu'à ce qu'elle baisse la tête, regardons-la d'une certaine façon...

☆

Puis montons, d'un certain pas : volontaire et mesuré. Avec cette sûreté d'instinct qui leur tient lieu de jugeote et courbe les êtres frustes comme les animaux familiers, Berthe cesse de piauler et suit, docile à mon influx. A quoi bon lui expliquer ? Chaque marche me hausse d'une tête au-dessus de Nathalie qui arrive au pied de l'escalier alors que je pousse déjà ma sœur dans la chambre rose en disant :

« Maintenant tu seras chez toi, toute seule. »

Et je n'ai plus qu'à entrer, fille aînée de ma mère, dans la chambre bleue.

XXIV

INVENTAIRE. Le mien sera tout autre que celui de maître Roye passant, dédaigneux, dans nos pièces, de menus chiffres au bout de la langue. Maurice a laissé vide le côté gauche de l'armoire où pendent les cintres. Vide aussi, le tiroir qui lui était dévolu : il n'y reste qu'un bouton de manchette dépareillé, que je rafle pour l'expédier dans le cendrier du poêle. L'odeur du cuir de Russie persiste, mais nous aérerons. Le poudrier offert à Maman a disparu : tant mieux ! J'aurais été obligée de le détruire. Quant au poste de T.S.F. ne le condamnons pas : ces objets de série ne font pas des fétiches et nous aurions du mal à nous en offrir un autre. Ne proscrivons pas non plus le cadre où Maurice sourit avantageusement : il y a usurpé la place de Papa, dont la photo a dû être brûlée comme va brûler la sienne.

Elle brûle, en se tordant, et je songe que, dans le cadre, je mettrai celle de Maman, plus tard, quand je n'offenserai plus son regard. Pour l'instant, afin que rien d'elle n'offense le mien, ne me fasse penser à lui, trions les robes, le linge, la paperasse. Maurice l'a déjà fait l'autre jour. Ce qu'il cherchait, je l'imagine : on ne laisse pas de lettres galantes en héritage, elles ont certainement disparu en même temps que le poudrier. Mais il y a tant d'autres choses qui sont inacceptables ! Tout ce qui a moins d'un an doit disparaître : le tailleur gris, la robe de plage ramenée de La Bernerie, les chemises de nylon qui succédèrent brusquement au pilou, la gaine Scandale, les escarpins dont Maman faisait tourner les talons, et ces flacons, ces tubes, ces pots, ces fards, aussi impuissants à lui conserver sa beauté que cette verrerie pharmaceutique à lui conserver la vie. La vieille robe de chambre, je la garderai, mais non la neuve. Mieux vaut sacrifier tous les bas de soie, achetés à une date imprécise. A la réflexion, je ne garderai pas non plus les mouchoirs, qui sont anciens, mais dont à l'occasion Maurice se servait. Règle absolue : ce qui est un souvenir de Mme Méliset n'est pas un souvenir de Maman. Nous ne sommes plus rivales, nous avons quitté le même homme, il ne peut être aboli pour l'une sans être aboli pour l'autre. On ne m'a laissé à moi ni lettre, ni broche, ni la moindre babiole et démunie comme une nonne qui de surcroît aurait perdu la foi, je ne saurais vivre parmi les témoins d'un autre culte.

Cela fait un tas sur le couvre-lit pervenche dont Nat a toujours dit : « C'est un dessus pour cocotte ». Avant de remettre en service le couvre-lit blanc des familles dont j'ai, enfant, tant de fois tiré les franges, rejetons encore chiffons et fanfreluches, bibelots douteux, carnets dont l'examen ne serait pas sans danger et, pour la même raison, tout ce qui est papier, tout ce qui porte trace d'écriture. Puis nouons les quatre coins pour en faire un ballot. La pièce a beaucoup perdu, mais c'est très bien ainsi : elle redevient ce qu'elle était à la mort de grand-mère quand Maman vint s'y installer et céda la chambre grise à Nathalie, jusqu'alors casée avec nous. Sur les rayons, dans les tiroirs, assainis, ne demeurent plus que les très vieux hôtes de nos meubles, le gros lin Madiault, les draps à grain rude et lisière retournée (que je compte : il y en a vingt-deux, plus trois fins), les serviettes que la rouille du fil de fer n'a pas réussi à tacher (quarante-trois au lieu de quarante-huit : il doit y en avoir au lavage), les torchons à filet rouge (sept, même remarque), les torchons à filet bleu (trente-neuf), et des taies, des nappes, des napperons, disparates et assez mal en point pour la plupart. Ces richesses-là ont droit de cité à La Fouve, comme ceux qui s'en contenteront.

Les autres, dans leur ballot de satin bleu jeté sur mon épaule, descendent déjà l'escalier. Tête de bois — mais de bois tendre — Nathalie me voit passer, avec ma friperie. Elle dit, finaude et bourrue :

« Je vais recirer ta chambre. »

Berthe à son tour dégringole les marches, m'emboîte le pas. Le ciel est de la couleur du couvre-lit ; l'Erdre aussi, vers qui je me dirige en silence et où va basculer mon chargement, vite saisi, noyé dans le courant. Et si ma force en ce moment m'abandonne, si je trouve soudain le geste enfantin, ma justice injuste et les haies harassantes, cela n'aura plus d'importance. Mon sacrifice, je sais ce qu'il est, comme tous les sacrifices : un châtiment où je me réfugie, où je trouverai mes aises. Allons, on ne peut pas tout avoir ! Quand on a payé sa joie de sa honte, on ne recouvre pas sa fierté sans malheur. Pour la racheter, comme dirait Nat, *ce qui a du prix, c'est ce qui nous prive longtemps.* Mais ce qui nous prive nous comble, Isabelle ! Avec son visage rond comme un plat de faïence, Berthe a plus de sagesse, qui murmure :

« T'as vu les petits sapins, Isa ? T'as vu ? »

Elle parle encore d'une voix chagrine. Ces petits sapins, Maman — qui s'en moquait bien — ne les verra pas filer de la pointe et, couronne sur couronne, se dégager des ronces qui repoussent, assaillir les vieux troncs que mon regard recence. Comme l'eau, derrière nous, la sève s'acharne et si l'amour renonce, La Fouve continue.

XXV

Un deuil parfait ne me fut pas rendu : il s'y mêlait de trop près un crève-cœur inavouable, bientôt renforcé par de plus inavouables inquiétudes. Et nous étions accablées d'ennuis : quand la nécessité veille, le regret s'assoupit.

Tout de suite, il nous fallut nous débattre dans les pires difficultés, réunir des fonds, réunir des actes, manœuvrer pour évincer du conseil l'indésirable, alerter de lointains cousins peu soucieux de se faire secouer dans un méchant car et de perdre des heures à bâiller devant un juge de paix aussi indifférent qu'eux-mêmes à nos affaires. Tout de suite il fallut assurer notre subsistance, à laquelle la pension précaire de M. Duplon ne suffisait pas et dont l'incertitude même inspirait certaines objections, sans doute soufflées de Nantes par celui qu'il ne fallait pas nommer et dont la tendresse retorse, pour s'accrocher à nous, nous entortillait dans la procédure.

Malgré ses rubans noirs, ses dévotions sévères, les grands accablements où elle s'engourdissait, Nathalie faisait face à tout, relevait toujours à temps ses pesantes paupières. La chambre grise n'avait pas fini de l'emporter sur la chambre bleue où se recroquevillait la nouvelle reine, âprement surveillée par la régente, refoulée dans ses murs et ses contradictions. Dans la semaine la machine à coudre s'était remise à fonctionner et Nathalie entreprenait la retouche de confection, pour un grand magasin de Nantes. Elle désavouait maître Roye, faisait dresser par maître Harmelet un nouvel inventaire qui amenait la découverte de sept cent mille francs de rente cinq pour cent « oubliés » dans une potiche, et après le départ du notaire repoussait tranquillement mes protestations en disant :

« Mes sous, j'en fais ce que je veux. Autant que vous les ayez comme si ça venait de votre mère : je vais sur mes sept, Isa ; à ma mort, l'Etat vous mangerait tout. La fois passée, j'avais mis juste le répondant pour les frais. Maintenant que l'autre a filé, je peux mettre mon reste. »

Elle n'attendait point d'élan et je la remerciai peu, avec gêne. De telles bontés maillent leur chaîne et la gratitude y boucle son cadenas. Se dépouillant, Nat récompensait la repentie, m'imposait une confiance impossible à trahir. Comment ferais-je, mon Dieu, comment ferais-je si d'aventure tout était remis en question ?

☆

« L'autre », d'ailleurs, n'avait pas filé si loin. Il rôdait autour de nous. Un matin, c'était Mme Gombeloux qui nous disait, faussement innocente : « Tiens ! j'ai vu M. Maurice, hier soir. Il *sourneillait* par là. » Une nuit, j'entendais siffloter sous mes fenêtres et le matin je pouvais découvrir dans le sable de l'allée une forte empreinte d'homme sur quoi, en cachette, Nathalie passerait le rateau. Si nous allions toutes ensemble à la messe le dimanche, il ne fallait pas demander pourquoi. Si Nathalie avait insisté pour que nous reprenions la couture et trouvé des prétextes pour m'écarter d'un emploi de bureau (maître Harmelet, notamment, m'aurait bien prise chez lui), si elle ne m'envoyait jamais en courses et se réservait toutes les sorties, en prenant soin de ne jamais les annoncer d'avance, de me laisser Berthe sur les bras, de ne pas traîner en chemin, il ne fallait pas demander pourquoi. La moindre promenade dans le bois lui paraissait suspecte et souvent je la trouvais plantée au détour d'un sentier, le couteau dans une main et le cabas dans l'autre, apparemment très occupée à nous cueillir une salade de pissenlits.

Le soir, pour peu qu'un klaxon insistât, dans les tournants, elle se tortillait sur sa chaise. Elle ne disait rien, bien sûr ! Surtout pas ! Ne pas admettre que les choses soient — ou aient pu être — leur enlève de la force et, à la longue, de la vérité. Mais elle toussait, elle remuait les pieds et son regard devenait glissant, gluant, s'attachait à mes jupes. Le plus souvent ce maudit klaxon n'était pas le bon, ne torturait l'écho long du marais que pour afficher la prudence de quelque vieux rentier tenant fort à ses os ou du marchand de bœufs rentrant d'une bonne foire. Mais une fois je le reconnus bien, comme je l'avais déjà reconnu — mieux que ma mère — et ma poitrine se mit à gonfler. On cornait à petits coups, rageurs, impatiemment renouvelés, comme du morse ; puis l'appel s'étira, alertant les chiens, déchirant des mètres et des mètres de nuit. Sans cesser de coudre, de coudre, je m'excitais, de toutes mes forces. Que me voulait-il, ce jolicœur, avec sa nocturne aubade troublée par vingt abois ? N'avait-il donc rien compris ? Il avait eu sa chance : une chance de loup croquant sa chèvre en trois bouchées et qui n'a plus qu'à repartir, gavé, sur son erre. On ne lui demandait pas de s'enraciner, de faire le pou sur sa victime ! Les passions passent et, si les habitudes restent, qui lui avait jamais permis de me ranger dans les siennes ?

Mais le klaxon klaxonnait de plus belle. Un klaxon, est-ce une voix, est-ce un cri ? Il n'avait donc pas le courage d'entrer, de faire une scène éclatante, de prendre lui-même sa revanche ? Il comptait sur moi, sur le besoin qu'on devait avoir de sa raie, de ses yeux marron, de son grand corps, calme et violent ; et, peut-être, de son nom. Mon chausson soudain se mit à battre une étrange mesure, mon aiguille se ficha dans mon doigt, mon dé roula sous la table où j'allai le ramasser à quatre pattes. Puis je me relevai d'un bond, le poil ébouriffé, la jambe élastique. *Reviens, reviens,* disait la trompe, travaillant cette fois pour le loup. Mais, plus heureuse que M. Seguin, Nathalie me tenait bien. Elle se redressa sur ses vieux genoux, ferma les volets à grand bruit, en grognant :

« Le noir aux carreaux, ça me rend chose. »

Si j'en crois mes oreilles, la Vedette repassa — plus vite — deux autres fois : pour gagner La Glauquaie on faisait le grand tour, à tout hasard. Mais le courrier, chaque midi, soulevait une histoire. Nat tremblait à l'idée de me voir ouvrir une lettre ; je craignais, moi, qu'en le faisant à ma place elle ne tombât sur de scabreuses évocations. Nous guettions toutes deux l'arrivée du facteur et ni l'une ni l'autre n'aurions laissé passer un prospectus sans l'éplucher. Sait-on jamais ? Les amoureux ont de telles inventions ! Je m'étonnais même que

Maurice n'eût pas recours à de beaux subterfuges. Mais il s'était, dans les premiers jours, contenté d'une carte inoffensive :

J'ai beaucoup de travail et bien besoin de toi. Viens quand tu voudras. Bon souvenir à tous. Maurice.

Devant moi, Nat détruisit posément la carte (qui représentait la Loire, au pont de Pirmil). Trois jours plus tard j'en recevais une autre (la même Loire, au même pont). Elle était un peu plus pressante :

Ton silence m'étonne, ma petite Isa. Tu n'as pourtant pas un caractère à te laisser séquestrer. J'irai te voir ces jours-ci : Il faut que nous reparlions sérieusement. Je t'embrasse très fort. Maurice.

« Qu'il vienne, gronda Nathalie. J'ai tout ce qu'il faut comme balais. »

Maurice ne vint pas, mais il arriva une lettre recommandée avec accusé de réception et avis de remettre en main propre. Le facteur n'était pas encore au portillon que Nathalie me l'arrachait. Je la lui repris. Elle me l'arracha de nouveau et devant Berthe ébahie, qui gloussait : « C'est de Papa, hein ? Il revient ? » (elle nous le demandait tous les jours et nous ne savions que dire), Nathalie saisit son crochet, fit sauter deux rondelles de la cuisinière et enfourna sur la lettre une pelletée de boulets, en criant :

« C'est bon, je ne les lis pas, ces cochonneries ! Mais tu vas lui dire toi-même ce que t'en penses... Et puisqu'il aime les cartes postales, pour en faire accroire au facteur, qui raconte tout, j'en trouverai bien une par là pour amuser le sien ! »

Après le déjeuner — miroton et nouilles, sans dessert — elle fouilla ses trésors et découvrit deux cartes jaunies, mais vierges : *la pêche au parellier* (depuis longtemps tombée en désuétude) et le *châtaignier géant de Saint-Nazaire* (depuis longtemps abattu). Elle adopta le châtaignier, puis, avec méthode, posa devant moi le buvard-réclame des Comptoirs, l'encrier à bavures mordorées, la plus courte-lance.

« Je ne sais pas si c'est bien nécessaire, fis-je hésitante. Le silence...

— Silence ne dit pas non ! marmotta Nathalie qui, plantée derrière mon dos, retrouva toute sa voix pour dicter : *Monsieur, je vous en prie...* »

Je grattai péniblement ces premiers mots.

« *...je vous en prie,* continuait Nathalie, *une fois pour toutes, laissez-moi tranquille.* »

Courageuse, la plume parvint au bout de la phrase : non sans faire souffrir l'écriture, dont les T lâchaient leurs barres.

« Signe », dit Nathalie.

Je signai, sur trois lettres.

« Non, dit Nathalie, tu ne t'appelles pas Isa pour les galantins ! Tu signes : Isabelle Duplon. »

Ajouter *belle,* le diminutif de Maman, au bout du mien ? L'associer à cette sommation qu'elle n'eût, pour son compte, jamais paraphée ? Quel beau symbole, en effet, rayant le passé comme l'avenir ! J'eus le tort de retourner la carte : le châtaignier, qui ne donnait plus de châtaignes, me fit penser au nôtre qui en donnait encore, à ce grand tapis de bogues entrouvertes sur leur marron comme certains yeux entre leurs cils. Je regardai Berthe qui, à trois pas, fouillait dans son nez : elle m'apparut lointaine et brouillée. Je me sentais la tête lourde, lourde. Mais je n'avais plus rien pour la poser : ni cette aisselle bien épilée, à peau grenue, attiédie par la victoire de la sueur sur le parfum ; ni cette grande charpente d'épaule prolongée par un bras dont le muscle faisait boule, en serrant, tandis que bourdonnaient les niaiseries du relevons-nous : *Isa, Isetta, ma petite voiture...* La petite voiture calait. Je me rejetai en arrière, cassée en deux.

« Alors quoi ! » dit Nathalie.

Elle sauva la carte, après tout signée, bonne à timbrer et qui ferait bientôt son ouvrage. Puis elle se rangea vivement, effarée, les sourcils relevés en point d'interrogation : je lui vomissais ses nouilles sur les pieds.

XXVI

ENCORE une fois, devant la glace qui surplombe la console, j'observe cette Isa. Si l'œil est creux, mes soucis et mes peines l'expliquent. Si la joue a perdu son modelé — pas de pêche, mais de brugnon — c'est que mon enfance s'éloigne, que mon anniversaire me fait filer sur les vingt. Mais ces taches, qui ne sont plus des « éphélides » et ressemblent à des éclaboussures, ont bien aussi leur sens. A quoi bon lutter encore contre l'évidence, la taxer de coïncidence ; il n'y a plus de doute. Me voilà digne de la grosse devinette qui fait la joie des lurons dans les noces : quelle est la différence entre l'amour et l'adjudant ? Et me voilà digne de la réponse : l'amour fait trembler les femmes et l'adjudant fait trembler les hommes durant leurs vingt-huit jours.

J'emploie à dessein cette affreuse plaisanterie, qui cesse si vite d'en être une pour les petites bonnes, au fond des mansardes où sont passés les petits soldats. Sa grossièreté souligne bien le dégoût qui est toujours la première réaction de l'imprudente, cent fois avertie et pourtant incapable de croire que l'aventure puisse lui arriver à elle, comme à tant d'autres. L'amour a toujours son décor, se file sa soie, même si c'est une soie noire et n'y sent pas grouiller sa larve. Et puis soudain c'est la surprise, bien sordide et bien banale, qui laisse intact le linge de la fille qui ne l'est plus.

Le mien reste bien blanc sur son étroite pile, lié d'un cordonnet bleu, et l'acharnement avec lequel je comprime maintenant mes haut-le-cœur ne doit guère abuser Nathalie, très stricte sur cette mécanique qui fait la santé des filles et parfaitement renseignée par les lessives. Elle n'a rien dit : l'incertitude est précieuse à l'espoir, et mieux vaut jusqu'au bout épargner au soupçon l'impudeur de se tromper. Mais les jours passent et l'explication approche que je n'éviterai pas.

☆

Relevons-nous. Sortons, puisque c'est dimanche. Il faudrait réfléchir, savoir ce que je veux, ce que je peux encore. En pareille occasion qui donc hésiterait ? Personne, même Papa, qui a encore ce droit sur moi, mais sera si content de s'en défaire en se débarrassant du même coup d'une pension, ne m'empêchera d'épouser Maurice. Et le sauveur n'est pas loin ; s'il n'écrit plus, s'il ne corne plus aux tournants de la route, s'il ne donne plus signe de vie, un quart d'heure de tête-à-tête lui ferait sans doute oublier mon offense et à l'annonce de mon état il m'étonnerait beaucoup de le voir refuser une réparation qu'en d'autres circonstances il accorda déjà.

Déjà ! C'est une assurance, plus qu'une consolation. Je vais, indécise. L'herbe haute me chatouille les mollets. Un engoulevent passe, le bec distendu, engloutissant les taons comme les abeilles. Dans le potager, Berthe, le derrière en l'air, la jupe remontée plus haut que ses jarretières enfoncées dans la graisse blanche de ses cuisses, sarcle un carré de carottes naissantes.

« Elle m'en arrache autant que de *bourier !* » crie Nathalie à Mme Gombeloux, qui ragote par-dessus la haie taillée.

On ne travaille pas le jour du Seigneur. Mais Nat a lâché la couture (parce que c'est du gagne-pain) pour la culture (parce que c'est de l'amusement) et par économie remet en service une nouvelle planche. D'un coup sec de hoyau qui éventre la glaise, elle plante des patates. Mme Gombeloux lui fait un signe et toutes deux me suivent du regard, tandis que j'oblique vers la motte du cormier, vers mon éternel rendez-vous avec moi-même : le bord de l'Erdre.

Il faut y voir plus clair. *Déjà, déjà...* Me suis-je assez réjouie, ma pauvre Maman, de te voir entrer dans le mariage par la petite porte ! Faudra-t-il m'y présenter à mon tour, dans une situation pire et disant à cet homme que j'ai repoussé : « Je ne voulais plus de toi. Réflexion faite, je suis obligée de sauver l'honneur. » Les tuiles de La Glauquaie, de l'autre côté du marais, saignent au-dessus des pâtis très verts où ruminent de belles vaches de comice. J'entends d'avance maître Ténor clamant à son rejeton : « Mais c'est une tradition ! On est toujours grosse, à La Fouve, pour t'épouser ! As-tu au moins, cette fois, exigé un certificat médical ? » Méprisée par le père, imposée par le fils, c'est tout ce que je puis être et ce sera bien beau si mon mari lui-même oublie comment il devint mon amant. Ils ont beau dire, les hommes qui ont eu leur femme sans livret s'en souviennent. Et puis quoi ! Ce qui me séparait hier de Maurice m'en sépare toujours. Si les conséquences d'une faute pouvaient l'annuler et, sous une autre forme, la rendre recommandable, agréable à Dieu comme à la Loi, ce serait vraiment trop facile. Le châtiment choisi, voilà qu'il se confirme, en n'accablant toujours que la moitié d'Isa, *sans désespérer l'autre.* Cet enfant, son cordon ne l'attache qu'à moi. Pour être un lien avec Maurice, pour s'appeler Méliset, il faudrait qu'à La Fouve ce nom n'ait jamais été porté, qu'il ne me donne pas le sentiment de faire de la vie en dépouillant la mort. Il faudrait aussi... Je déraisonne, mais La Fouve, émaillée de fleurs sauvages, le pense autour de moi : il faudrait aussi que la marguerite ne sache pas toute seule donner une marguerite, que le pollen soit insuffisant et qu'un enfant conçu ne puisse s'achever sans père... Le père ! Dans un sens, il a fait son travail et le reste m'incombe.

Un canard, soudain, claque des ailes et nasillant sa courte approbation, s'enlève, dans une gloire de gouttes. Je suis sur la berge où je m'assois, machinalement, délaçant mes sandales comme je l'ai fait tant de fois pour essayer l'eau, du bout du pied. Lisse et lent, le courant dévide les renoncules en longs coupons blancs que taille une branche basse. On voit distinctement une nasse qui barre une coulée, entre deux blancs de macres et je m'étonne d'avoir, une seconde, l'envie d'un croc pour la relever. Dans ma situation je devrais plutôt songer à faire mon Ophélie parmi ces herbes longues qui s'emmêlent si bien aux cheveux des noyés. L'Erdre est aussi un moyen d'aller à Nantes et, flânant sur les quais, Maurice me verrait peut-être passer. C'est d'ailleurs (bien à tort) ce qu'on a dû penser : des brindilles craquent derrière moi et Nathalie surgit, feignant de ramasser du bois mort. Son pas, son port de tête, sa forte haleine, tout annonce une scène. Elle dit :

« T'es donc pas dans tes dates, que tu mettes les pieds dans l'eau ? »

Elle les connaît, nos dates : naguère elle cochait elle-même le calendrier et le mien n'est pas à jour, il s'en faut ! Mais ce n'est qu'un préambule, pour forcer enfin mon silence, et je n'y changerai rien en remettant mes sandales.

« Mon Dieu, gémit-elle, il fallait s'y attendre ! Fleur fanée porte graine. »

Puis elle s'échauffe et crie :

« Dis non, pour voir. Dis-le donc, créature ! Et dis-moi aussi ce que tu as dans la peau ? Ça se met sur le dos, et avec qui ! et à quel moment ! Et puis ça rêve, ça s'étonne d'enfler... On est fraîche maintenant ! T'as la belle vie devant toi. Et moi, j'aurai l'air brave dans le pays, je pourrai me vanter de ma belle garde auprès de ton père, je me ferai du bon sang pour expliquer ton bon exemple à ta sœur ! Ah ! j'aime mieux que Belle soit partie avant d'avoir vu ça... »

Elle a lâché son bois, ses mains battent l'air, mais elle ne me giflera pas cette fois : je ne suis plus seule, la coupable enveloppe un innocent et l'Erdre, mon amie, ne lui dit rien qui vaille. La voilà plus calme et qui me tire le bras :

« Viens, dit-elle rudement, je veux te causer. »

Causons, c'est-à-dire : laissons-la parler. Fermée à clef, comme d'habitude, où irais-je chercher des répliques ? Nat avance lentement, souffle dans le raidillon, s'adosse au cormier. Tout son visage souffre ; l'os y saille, les rides s'y recreusent, le poil du menton se hérisse. Mais la voix s'enroue :

« Te voilà comme te voilà, dit-elle. A quoi bon en rajouter ! Je te connais : tu resserres tout dans ta tête, tu te maudis bien toute seule. Mais ça ne fait rien à rien, Isa : pour l'heure, l'important, c'est de savoir où aller. Si tu le veux et s'il te veut, ton Méliset, tu peux l'épouser, bien sûr ; tu ne seras pas la première qui feras de la poire de curé avec du fruit défendu. Savoir si ça tiendra, c'est autre chose... »

Elle n'a demandé aucun détail ; elle n'en demandera jamais. Derrière elle le cormier montre ses entailles. Nat a dû se tasser, car un jour nous l'avions mesurée, avec de grands rires, et son chignon maintenant passe au-dessous de la raie. Elle ricane faiblement :

« Lui, dame ! Il a le bon rôle. Il tient son tendron, il se rafraîchit le sang. Toi, tu prends les restes de ta mère. Dans dix ans, toute vigoureuse, tu auras du bonhomme, couinant sur ses rhumatismes, et avec ta peau d'anguille tu pourrais bien lui glisser entre les doigts. Vois-tu, Isa, on s'accroche par en haut et par en bas : j'ai idée que par en haut tu ne l'étais pas assez. J'ai bien compris, va ! Si tu l'avais voulu, à toute force, tu serais déjà à Nantes. Mais tu n'y es pas allée ; le remords te travaillait, La Fouve te retenait, tu te disais que tu aurais belle mine de renfiler l'alliance encore chaude de ta mère et d'aller la faire bénir. Les morts, des fois, se défendent mieux que les vivants : ce qu'on avait contre eux s'en va avec leur souffle ; mais ce qu'on leur a fait, nous, se met en croix. »

Un temps. Nat renoue soigneusement son ruban de bigouden, qui se desserrait. Rien ne bouge au loin sur le marais, sauf quelques roseaux ébranlés par le passage furtif d'une poule d'eau. Le coup de trompette d'un butor traverse l'espace, assoté de coassements.

« Tout ça reste vrai, dit Nat, et sûr comme un poison. Dans un ménage, ce qu'on a fait de mal ensemble, chacun finit toujours par le reprocher à l'autre. Une fois qu'il sera bien gavé de toi, ton Méliset se dira : « Comment a-t-elle « pu faire une chose pareille, tromper sa mère « mourante ? » et, pour s'excuser, il se convaincra que tu t'es jetée à sa tête. Toi, tu lui en voudras d'avoir sali ton blanc ; tu te méfieras d'un homme capable de sauter de la mère sur la fille. Assiette réparée recède à la cassure. Si vous devez finir sur un divorce, autant rester le doigt nu. Mieux vaut fille-mère que double femme. Et quand je pense au petit... »

Mieux vaut chrétien bâtard que païen légitime : Nat n'osera tout de même pas l'avouer. Ses scrupules l'assaillent ; elle étend le bras, elle hausse le ton :

« Ce n'est pas mon fait de te donner des avis là-dessus, Isa. Tu te conseilles. Tu t'écoutes le cœur. Le nom d'un père, sa famille et son bien, ça compte pour faire une vie. En tout cas ne va pas te tracasser pour ce que je t'ai donné. Je finis mon temps ; toi, tu le commences. S'il faut s'en aller, on s'en ira ; et ça ne m'empêchera pas de te garder Berthe, jusqu'au bout. Tu vois, je regrette d'avoir été trop vite, avec cette lettre. Je croyais bien faire, je voulais nettoyer la maison. Mais au besoin j'irai le voir, ce monstre-là...

— Ce ne sera pas la peine : je ne l'épouserai pas. »

La phrase m'est tombée des lèvres, toute seule. Nat tressaille et s'éloigne d'un pas, tirant une lippe, comme si elle avait honte de ses arguments ou de ma décision — qui ne leur doit pas grand-chose. Un soupçon la ramène vers moi, la coiffe frémissante :

« Tu ne veux rien faire contre, j'espère ? »

J'ai secoué la tête et ses rides se détendent. Sa voix devient presque chaude :

« Quand on se fait une raison, un enfant, après tout, ça s'élève. Je ne m'en vais pas te payer un carillon, mon pauvre petit. Mais les pierres qu'on te jettera, je sais où les renvoyer et, même sans parrain, je te promets la marraine. »

Pourvu qu'elle ne sorte pas son mouchoir à carreaux ! Elle renifle, elle gargouille. Mais à demi embourgeoisée, elle a gardé ce doigté paysan qui sait détendre aussitôt les cordes sensibles, où s'annoncent de gênants trémolos. Elle se rejette vivement dans l'aigre-doux :

« Et je te promets que j'aurais l'œil, maintenant ! Si c'est la chose que tu aimais, comme d'autres aiment les gâteaux, ce n'est pas demain la veille du jour où tu retourneras chez le pâtissier ! »

Nous avançons. A la hauteur du jardin, elle me lâche pour aller rempoigner son hoyau. Mais elle n'en donne pas dix coups avant de se retourner et se précipite sur la binette que je viens de ramasser :

« Que je te voie ! hurle-t-elle. C'est bien le moment de faire un effort. Va bayer aux corneilles, puisque t'es bonne qu'à ça. »

Mais oui, *marraine*, mais oui. Bêche avec rage, tandis que je m'éloigne ; bêche et tais-toi. C'est fini, nos échanges sont faits. Si tu devines tout de moi, il n'y a pas grand-chose que tu puisses me cacher. Je sais ce que tu rêves et de quel prix je paie l'isolement farouche où va ressusciter notre épineuse entente. Le déshonneur d'une petite dont on a été mère plus encore que sa mère, sa peine bien cachée, mais longtemps retordue, le grand murmure d'un bourg attaché à ses pas, ce n'est pas rien. Mais que valent des hochements de tête quand te hoche le cœur à l'idée d'un enfant qui chasse à jamais les épouseurs, qui nous laisse entre nous et qui bientôt, faible dauphin de La Fouve, te pissera d'une traite au creux du tablier ?

XXVII

POUR mieux dire, j'attendais une dauphine, comme Nathalie qui, tout de suite, en bougonnant, s'était mise à tricoter du rose. Et je savais déjà son nom : il ne serait pas prononcé avant l'heure, mais tous les troncs de La Fouve en affichaient l'I majuscule.

Il y aurait bientôt deux mois que Maurice était parti. L'arrière-printemps lâchait sur les pâtis les premières chaleurs. Dans ses chenaux pleins de cannetille, l'Erdre laissait fluer un sirop pour têtards et se découvrir peu à peu le chevelu des souches ancrées de biais sur ses bords. Très tôt, pour éviter la chauffe du lait dans les bouilles, l'aluminium chantait aux croisées des chemins où passent les ramasseurs. Puis venaient le cliquetis des faneuses, les grands jurons que l'air transporte avec l'odeur des meules, suivis des grands silences où s'alourdit la méridienne.

Dans la salle aux volets à demi tirés, les nôtres étaient plus frais, mais plus longs, à peine troublés par les bruits de ciseaux, les ronronnements de la Singer. Les couleurs des tissus pavoisaient la table, encerclée par nos robes noires. Berthe faisait ce qu'elle pouvait, tirant la langue sur des faufils tortus. Nathalie, de temps en temps, étendait le bras pour saisir une fusette, dévidait sèchement une coudée de fil, la cassait sur une incisive en me jetant un coup d'œil, aussi pointu que son aiguille, aussi vite repiqué sur son ouvrage. Ni souriant ni revêche, son visage n'exprimait qu'une double réserve : celle que s'impose la tristesse et celle que consent l'indulgence. Elle n'avait plus rien à me dire sauf les banalités du quotidien. Elle n'avait plus rien à épier, sauf des gestes inoffensifs : ce balancement de jambe qui s'agace sous la chaise ; cette contorsion du bras qui s'en va dans le dos libérer le bouton d'un soutien-gorge au contenu trop sensible : et — bientôt — ce sursaut d'un corps surpris par ce qui bouge en lui et dont on ne sait plus s'il faudrait s'indigner ou, d'une main avide sur ce ventre qui gonfle, contrôler le signal.

Faussé par tant de choses et tout endolori, le vieil accord, bien sûr, n'était pas revenu :

il y manquait encore trop de résignation, trop d'oubli. Il demeurait une menace : la réaction de Nantes, si mon secret y parvenait. Mais nous étions ensemble, nous attendions ensemble une honte précieuse, dans une maison sauvée, dans une douceur perdue, où mon absente enfin reprenait l'avantage sur mon absent et ce qui n'était plus sur ce qui ne serait pas.

☆

Et le temps se mit à passer, à passer. C'est une chose singulière que l'essentiel d'une vie puisse parfois tenir en si peu de jours et qu'il faille ensuite des mois et des mois pour rencontrer de nouveau une date, émergeant du petit courant des habitudes. Les cerises mûrirent, puis les pêches, puis les pommes, aussi tavelées que moi, cette année-là. Je devenais énorme. Du moins je m'en faisais l'effet, comme à tous : l'insolite attire l'œil, la demoiselle enceinte paraît toujours plus grosse qu'une femme dans le même état.

Il n'était, évidemment, plus possible de cacher le mien. Nous l'avions fait jusqu'à la dernière limite en refusant d'avertir quiconque : non seulement le responsable, mais le médecin (mon insolente santé pouvait m'en dispenser) et bien entendu mon père dont après tout je ne dépendais plus. Malgré tout, dès la fin de juillet, Mme Gombeloux, notre voisine, avait compris et le facteur répandu la nouvelle, qui fit du bruit. Dans ce pays de barrières et de haies, où tout s'enferme et s'enfouit, le pire égarement est à moitié absous s'il sait imiter la souche creuse et garder belle écorce en pourrissant du cœur. Mais la fille-mère, affichant son ventre et son exemple, est impardonnable ; elle seule, la langue sait le dire, a vraiment *fauté* et, pour un *fautif*, le chœur des vieilles lui chantera aux échos toute une litanie ! Très vite les gens commencèrent à prendre des mines, à se raidir sur mon passage. Puis, le jour de l'Assomption, l'abbé campé devant le banc bleu m'en refusa l'accès, d'un simple signe du doigt. Nathalie décréta :

« Tu n'iras plus à la messe ; tu l'écouteras à la T.S.F. »

La réprobation faisait partie du programme et je n'y rechignai pas : *on doit le même outrage aux filles sans pudeur qu'aux hommes sans courage.* Je trouvais même une sorte de pénible apaisement à subir les regards braqués sur ma ceinture : le mépris d'autrui nous dispense du nôtre et brûle de son cautère la plaie que nous entretenions. Mais j'étouffais dans l'incessante surveillance de Nathalie et la perspective de me retrouver enfin seule, pour une heure, chaque dimanche, me parut délicieuse. Elle pouvait aller sans inquiétude et profiter de ma retraite pour voir l'une, pour voir l'autre, pour branler de la coiffe et commencer à répandre la légende qui ferait de moi la victime d'un homme sans scrupules ! Sa renaissante confiance ne serait point déçue.

☆

Deux nouveaux mois s'écoulèrent, décembre figea le marais et je fus proche de mon terme. Enfin appelé, Mahorin m'avait examinée sans douceur et jeté, comme à regret :

« Tout va très bien. »

Pourtant je ne travaillais plus. Il fallait m'allonger. Il fallait aussi me traîner chaque jour dans les allées sur l'injonction de Nathalie qui commençait à parler plus librement et assurait qu'une bonne marche assure un bon passage. Berthe me donnait le bras, avec une sollicitude passionnée qui ne s'étonnait de rien : la chatte met bas, les arbres font fruit, les enfants viennent, pour elle c'était tout un. Apaisant les craintes de Nat qui ne savait comment la « préparer », elle avait seulement fait remarquer, après de longues réflexions :

« Pourquoi en hiver, Isa ? »

Et j'avais répondu :

« Les poules pondent bien... »

Désœuvrée et me méfiant beaucoup de mes réflexions — qui trop souvent, malgré ma lettre, s'étonnaient de cette grande insistance si vite tombée, de ce grand silence qu'aurait dû alerter la rumeur publique — je m'étais mise à lire de très vieux romans d'amour chers à grand-mère et de tout récents, dévorés par Maman sur son oreiller de malade. Les uns comme les autres m'agaçaient : ces héroïnes de jadis aux passions indéfectibles, aux puretés toujours relavées à l'eau de fleur d'oranger m'apparaissaient aussi insupportables que les modernes, qui couchent comme elles fument, avec distraction et n'ont vraiment peur que de l'enfant — gage définitif, pourtant, de la féminité. Je n'éprouvais pas plus de sympathie pour les aînées, malgré leur chaleur, que pour les cadettes, malgré leur liberté d'amazone. Je ne me sentais ni de cette époque-ci ni de cette époque-là ; mais de La Fouve où n'avait cours aucune leçon et qui n'en proposait pas.

Le livre alors me tombait des mains et, parfois, j'écrivais dans ma tête une scène digne de moi, j'imaginais le brusque retour offensif de Maurice, averti et profitant de l'absence de Nat, le dimanche, pour venir m'assiéger. Le tour de clef que je donnais toujours empêchait quiconque d'entrer à l'improviste. Il ne pourrait pas — prudence ! — m'approcher. Je ferais la sourde. Ou mieux encore, j'ouvrirais la fenêtre du premier, afin qu'il ne voie que ma tête et ne sache pas combien la mince Isa était devenue hideuse. De ce perchoir, j'aurais de l'allure pour lui crier à mon tour : « Allez-vous-en ! » Il comprendrait vite combien son pouvoir s'était assoupi, mal défendu par ses châtaignes bouillies, sa véreuse pomme d'Adam, sa raie toute raide de gomina. S'il criait : « Mais enfin, ton enfant, c'est mon enfant ! » je savais quoi lui répondre ! « Mon cher maître, vous êtes un juriste : *pater is est quem nuptiæ demonstrant*. En adultère, la paternité... » Et s'il insistait, on insisterait aussi en tenant fermement le rebord de la fenêtre pour ne pas flancher : « Voyons, Maurice, si je ne vous ai pas prévenu, c'est sans doute que j'ai mes raisons. Vous ne me devez rien. » Il me croirait ou il ne me croirait pas. De toute façon, il serait bien obligé de s'en aller. Et je le voyais s'en aller, blanc de rage, clamant : « Quelle sorte de fille es-tu donc ? » ou, au contraire : « Pauvre gosse ! Elles t'ont eue ! Mais je le reconnaîtrai malgré toi, ce petit. »

Comme de juste la scène me resterait pour compte. L'imagination se flatte toujours. La vérité était beaucoup plus simple : Maître Ténor avait peut-être eu vent de quelque chose et se taisait soigneusement. Mais Maurice ne savait rien, parce qu'il avait quitté Nantes, comme sans doute me l'annonçait — en m'adjurant une dernière fois de le suivre — le pli recommandé que nous n'avions même pas ouvert. Il s'était enterré, par dépit, là où nous devions le faire à deux. J'allais l'apprendre, l'avant-veille de mon accouchement. Nathalie, qui devait en être informée depuis longtemps, le lâcha soudain devant Mme Gombeloux, venue faire ourler une paire de draps. Aux vitres dépolies par leurs fougères de glace, se brisaient les dernières volées d'une messe blanche :

« C'est pour Monique Hérinault, dit Nat. Son coquin l'a tout de même épousée. »

Mme Gombeloux me regarda, effrayée. Mais Nat continuait, impudente :

« Le nôtre doit trouver qu'il fait trop froid par ici : on dit qu'il est allé voir les Marocaines.

— On me l'a dit aussi », fit Mme Gombeloux, baissant les yeux.

Mieux renseignée que d'autres, elle n'acceptait pas sans réserve la version officielle que l'on répétait maintenant à portée de mes oreilles et où Maurice apparaissait comme un « vrai bouc, quoi ! porté sur la chevrette et capable d'abuser de n'importe laquelle, la vôtre comme la mienne, si ça se trouvait, madame, et s'il avait le temps de lui faire prendre Dieu sait quoi pour en venir à bout ». Elle s'était même montrée, à plusieurs reprises, étonnée de ma résignation. Glissant de mon côté, elle vint me murmurer, encourageante :

« Tout s'arrange, tu sais. Et si c'est un garçon, je suis sûre qu'à La Glauquaie... »

Mais mon regard l'arrêta si noir que sa phrase s'éteignit comme une fusée manquée.

*

Et le surlendemain, Dieu merci, j'avais une fille.

XXVIII

Temps pris, temps gris et qui passe, indécis, de la brume à la bruine. La moitié de l'année, n'est-ce pas ici la vraie saison, qui parfois enjambe l'hiver ou annule l'été ? En ce début d'automne, pourtant, les eaux sont encore basses. Derrière les îles, dans le bras canalisé, une drague halète, vomissant une purée noire sur les berges d'en face ; et la voile d'un cinq mètres, dont on ne voit pas la coque, passe en biaisant comme une mouette, vers les grandes nappes libres d'amont.

« Fait froid pour Belle ! » dit ma sœur, qui tient la petite avec les égards dus aux potiches de prix.

Il ne fait ni froid ni chaud, surtout pour une enfant emballée sous trois laines et qui, hors du burnous, ne montre qu'un bout de nez. Qu'on ne m'en fasse pas une mauviette ! Mon sang, mon sein l'ont vaccinée contre les rhumes. Du reste pour l'instant il ne pleut ni ne vente et la cabane est presque étanche où nous tenons l'affût.

« Y a rien ! » dit Berthe.

Va-t-elle se taire ! Cette hutte qui devrait être plantée en plein palud (mais ça, Nat s'y oppose farouchement) a déjà bien du mal à me faire parfois profiter de l'imprudence d'un canardeau et la pétoire que je me suis offerte (sur la bague de grand-mère, en même temps que la barquette qui se dandine là-bas) est plutôt chiche de plomb. Comble de chance, voilà la gosse qui se trémousse.

« Sent mauvais ! » dit encore Berthe en me la tendant.

Finissons-en. Le sac que je n'oublie jamais imposera silence à ma pataude, qui le happe, le serre sur son giron mollement mamelu et commence à chiquer du caramel. Quant à ma fille, si peu de lait qu'il me reste, un bout de tétin lui amusera les dents. Isabelle au bras gauche, mon 24 au bras droit, je peux écarquiller les yeux, tandis que ça clapote. Ça barbote, ça grouille comme un défi parmi cet inextricable mélange de joncs et de conferves, hérissé de sagittaires, empanaché de phragmites et d'où rien ne s'élève, hormis le cri strident d'une invisible foulque.

Comment ne pas s'engourdir ? Les paupières m'en tombent, par instants ; et le marais ne m'impose plus que sa tenace odeur d'herbe pourrie, de vase, de poisson, de sauvagine. Puis je me secoue, je me retrouve la crosse sous l'aisselle. Berthe machouille, Isabelle suçote, lâche à demi un mamelon gercé, le regobe et s'endort dessus. Au loin, La Glauquaie s'enfouit dans les roux et les bruns. Tout près, dans un maigre chenal, l'eau glisse, lente, plate, étouffant des miroitements d'étain ; et le temps glisse avec elle ; et c'est toujours la même eau dans la même rivière, comme le même temps dans la même vie.

Et mes paupières retombent. Il y a... Ma foi, je ne sais plus, je ne compte plus, les dates ne gardent d'importance que par rapport à cette enfant... Disons : il y a quinze jours qu'elle petonne, cinq mois qu'elle s'assied, dix qu'elle est née, dix-neuf qu'elle a été conçue, vingt-cinq que son père a franchi toute cette eau pour changer provisoirement de rive !

Vingt-cinq ! Et tout se comprend mieux ; tout est redevenu simple et fluide, malgré l'âpre longueur des nuits, malgré ce dur rectangle de granit dont saignent les géraniums et où j'ai fait graver : *Ici repose Isabelle Goudart.* S'il la voyait, cette inscription qui nie son nom, qui ramène ma mère — ni Méliset ni Duplon — à son premier état, j'en connais un qui pourrait répéter : « Vous êtes une tribu de femmes... » C'est vrai. Ni mari, ni père, ni grand-père n'ont jamais longtemps compté ici. Son rôle joué, le bourdon fuit ou meurt ; une filiation d'abeilles suffit à cette maison où sévit bien un peu le vieux rêve de Diane, tentée par l'enfant seul.

« Isa, Isa ! piaule Berthe, pointant le doigt vers ce malard qui passe, le cou tendu, hors de portée.

— Chut ! »

Valable aussi pour d'autres, ce chut. O ma rousse chasseresse, la parthénogenèse ne fut point ton souci ! Ne fais rire personne. Si le curé, manipulant sa barrette aux arêtes luisantes de crasse, t'appelle « Madame » depuis ce baptême discret d'une bâtarde indiscrète qui braillait le sel à pleins poumons..., s'il y en a qui disent : « Ma foi, elle se tient, elle ne se dérange plus », nous en connaissons d'autres dont les yeux luisent sur ton passage et qui pensent : « Drôlesse ! On t'a eue. On t'aura. Et tant qu'à faire, pourquoi pas moi ? » Ils se trompent, bien sûr. Mais se tromperaient-ils encore, s'il sortait de l'Erdre une sorte de génie fait à sa ressemblance et qui dirait : « Isa, j'ai compris, je ne suis rien. Je vais, je viens, je te laisse à ta Fouve. Mais parfois sur ces bords, où je serai peut-être, viens voir dans l'herbe haute ce que sentent la sauge et la menthe écrasées » ? Par bonheur, il n'y a pas d'homme de cette race, capable d'apparaître sur un soupir de nymphe et de replonger dans l'ombre quand leur sourcil se fronce. Mais défie-toi...

« Isa ! »

Cette fois, le coup part, trop vite lâché sur un râle qui perd une plume et s'en va remiser au diable. « Raté ! » dit Berthe, souffrant pour mon prestige. Isabelle, qui a sursauté, ne crie pas, pose sur moi les immenses yeux ronds de la première enfance. Nous avons toute chance de rentrer bredouilles, maintenant ; l'heure tourne, le crachin recommence et ça m'étonnerait que Nat ne fonce pas jusqu'ici, pour nous rappeler l'essayage de Mme Burtain, la commande Decré et le serment solennel qui accompagne toute sortie de l'héritière. « A la première goutte, hein ! Vous rentrez. » J'aimerais pourtant donner un coup d'œil à mes lignes de fond.

« Allons, viens. »

Avec Berthe, nos conversations ne sont jamais plus longues et c'est bien reposant. Elle reprend sa nièce et nous regagnons la rive par l'isthme de terre éveuse qui la raccorde, en période d'eau maigre, à l'îlet de la hutte. Le crachin s'épaissit. A trois mètres du néflier chancreux dont Dieu seul sait pourquoi il a poussé sur berge, une ficelle brune vibre sur mon taquet. Je me précipite et tire. Mais je paie de malchance : une anguille apparaît qui, au dernier moment, fouette si fort qu'elle se décroche. Les autres lignes sont lâches et leur vermée intacte. Nous n'aurons même pas le loisir, pour nous garnir les mains, de ramasser des nèfles. Comme je m'y attendais, du fond du bois surgit la vieille licorne qui tient son parapluie à bout de bras et crie :

« Joseph ! Elles me la rendront quinteuse, les maudites ! »

La voilà sur nous. Elle s'empare d'Isabelle, la roule dans son fichu et, rameutant son monde autour du haut pépin, rentre en pestant contre la pluie qui maintenant crépite sur les feuilles mortes et déchaîne un festival d'escargots rayés, de loches noires, de grandes limaces couleur de caoutchouc. Elle peine si fort dans le raidillon que je ne puis m'empêcher de penser : « On devrait dresser un divan dans la salle, pour lui épargner l'étage. » Mais Nat n'est pas de celles qui s'écoutent : elle presse le pas, déboule vers la maison, coupe au court par la porte de la buanderie où elle loquette en vain.

« Je t'ai déjà dit cent fois de ne pas tirer le verrou », grogne-t-elle en faisant le tour.

Oui, mais je n'aime pas que cette porte batte, la nuit ; s'il ne tenait qu'à moi, je la ferais murer. Entrons par le vestibule, où je reprends toujours ma blouse à la patère, en y accrochant mon fusil ; et filons à la table, où baillent nos ciseaux.

*

A chacune son poste : la petite dans son parc, Nat à la machine, Berthe aux accessoires et moi-même à la coupe. Sur les murs d'où j'ai banni mon père et mon grand-père — précaution *ad usum delphinæ* — grand-mère et Maman sont aussi à leur place : la première toute raide, étranglée par sa guimpe et sa mélancolie ; la seconde toute fondante, résumée par ce cou qui fléchit sous le poids de son sourire. Isabelle I la veuve, Isabelle II la divorcée surveillent Isabelle III, autre variété de femme seule, *mère célibataire* — comme disent pudiquement les assistantes sociales — et qui semble passer du destin de l'une au destin de l'autre. L'aventure cède à la fidélité ; mais quand le lierre s'attache, n'en déplaise au dicton, c'est pour son propre compte.

Dehors, le vent s'est élevé, avec une brusquerie d'équinoxe. Il s'énerve, s'en prend aux volets, transforme en soufflerie la cheminée dont le rideau par à-coups tambourine. Il fait si sombre que Nat allume la lampe. Son air, à mon avis, n'est pas celui de tous les jours ; burette en main, elle fait trop de manières pour graisser la Singer.

« Avec un temps pareil, dit-elle soudain, je ne compte plus sur Mme Burtain. Qu'est-ce qu'on fait ? On attaque la série Decré ? »

Cette déférence m'honore : vieillissante, Nat

songerait-elle à passer les pouvoirs ? Mais, là aussi, il s'agit d'huile pour faire glisser le reste :

« A propos, j'oubliais de te dire, Mme Gombeloux est venue pendant que tu pétaillais. Tu sais la nouvelle ? Le père Méliset a eu une attaque, le mois dernier. Il serait plutôt bas. »

Son regard s'inquiète comme il ne s'inquiétait plus, avoue ce qu'elle n'ose ajouter : « Le vieux est mourant, l'autre va revenir. S'il ignore, il saura. Et s'il attaque, faudra-t-il que je tremble encore, que je me batte, moins sûre de mon alliée que de mon ennemi ?... » Injuste Nathalie ! Quand le vieux fendait les nénuphars, lorgnant de loin mon gros ventre, l'ai-je jamais interpellé ? Quand, ces derniers mois, tiraillé dans sa plus secrète fibre, il godillait au ras de notre berge, essayant d'apercevoir cette enfant mitoyenne, de surprendre je ne sais quelle ressemblance, ne me suis-je pas chaque fois aplatie dans les buissons pour écarter la menace d'un repentir, d'un tardif arrangement ? Maurice peut reparaître. Je ne souhaite pas sa rencontre (il est tellement différent d'être veuve d'un vivant que d'un mort) ; mais je ne la crains plus. L'argument qu'il aurait à la bouche est sa plus sûre condamnation. Déjà vaincu par La Fouve, comment pourrait-il triompher d'elle au nom d'une petite qui en est devenue l'avenir même ? Si je ne le savais pas, je le sais aujourd'hui, sans ignorer qu'il faut le taire ; et c'est uniquement pour apaiser l'inapaisable que je murmure :

« Laisse donc ces gens-là... »

Nat s'illumine : du même sourire qui vint enfin la dérider quand Mahorin, réprobateur, cria : « Serviette ! » et lui donna ma fille à sécher. Qu'elle me la reproche, dans ses colères, qu'elle demeure épineuse comme nos haies, et comme nos haies décidée à m'enfermer de toutes parts, mon Dieu, ce n'est pas grave. Qu'elle me voie *sur mes pieds* (toujours capables d'un faux pas) et non sur un piédestal, je n'en suis pas fâchée : s'il fallait être fière des gens, pour les aimer, qui aimerait-on ? Et comme l'amour serait fragile ! Il suffit qu'elle cède au sien, fait comme une pelote d'épingles. Il suffit que ressuscitent — un peu moins confortables et peut-être plus sûrs — la vieille complicité des quatre jupes, le vieil accord des quatre têtes : la grise, la rousse, la blonde et la brune. (La brune serait plutôt châtaine. Mais « une gamine, ça fonce », assure Nathalie.)

*

Allons ! Travaillons. Soyons simples. Mieux vaut laisser ces choses pour remuer de l'étoffe. Jusqu'à la nuit tombante. A quatre heures nous aurons Mme Burtain, profitant d'une éclaircie. A cinq, il faudra changer Belle qui salit beaucoup en ce moment et nous disputerons sur l'opportunité de la mettre au Lactéol. A six heures enfin, Nat, qui ne laisse à personne le choix de ses farines, s'en ira mitonner la bouillie de sa filleule et, celle-ci avalée, Berthe, perroquet de nos horaires, répétera vingt fois :

« On la couche ? On la couche ? »

Parfois je lui permets de la déshabiller, de jouer avec la saupoudreuse, de talquer le petit ventre fendu ; et la pleine lune ne s'épanouit pas mieux dans ses halos que la bonne bouille de Berthe parmi les orbes grasses de sa béatitude. Mais ce soir, non ! Après avoir jeté un long coup d'œil au portrait souriant, je préfère monter seule et coucher seule ma fille et redescendre seule, dans l'ombre, les yeux fermés, les doigts sur les murs. Sous mon chausson les lattes ne crient jamais et, quand je l'ouvre, la porte du vestibule tourne en silence sur la fraîcheur profonde de la nuit.

Quel calme, Isa ! Les arbres ont cessé de geindre. Le vent n'aura servi qu'à nettoyer le ciel : il n'en reste qu'un souffle, qui rase terre en agitant des feuilles. D'insipides ramiers, que je n'ai jamais pu surprendre, roucoulent sourdement dans les hautes branches du sapin où, chaque soir, ils juchent, souillant le tronc de longues giclées blanchâtres. Une rainette inlassable module ses deux notes. Puis soudain la demie tinte avec force, tandis que glisse une étoile filante ; et la lueur et le bourdonnement se prolongent, pour décroître et mourir de concert. Je comprends bien... Tendresse trahie, amour coupable, me feriez-vous donc grâce ? Née pour ceci, que vous m'avez laissé, je n'en demande pas plus. Je n'oublie rien. Mais je me garde, comme se garde ma Fouve, dévorée autant que défendue par ses halliers de ronces et de souvenirs.

Chelles-Quiberon-Carquefou,

Novembre 1955 — Octobre 1956.

ŒUVRES DE HERVÉ BAZIN

Aux Éditions Bernard Grasset :

VIPÈRE AU POING, 1948.
LA TÊTE CONTRE LES MURS, roman, 1949.
LA MORT DU PETIT CHEVAL, roman, 1950.
LE BUREAU DES MARIAGES, nouvelles, 1951.
LÈVE-TOI ET MARCHE, roman, 1952.
HUMEURS, poèmes, 1953.
L'HUILE SUR LE FEU, roman, 1954.
QUI J'OSE AIMER, roman, 1956.
LA FIN DES ASILES, enquête, 1959.
PLUMONS L'OISEAU, 1966.
CRI DE LA CHOUETTE, 1973.

Aux Éditions du Seuil :

AU NOM DU FILS, roman, 1960.
CHAPEAU BAS, nouvelles, 1963.
LE MATRIMOINE, roman, 1967.
LES BIENHEUREUX DE LA DÉSOLATION, roman, 1970.
MADAME EX, roman, 1974.

JOUR, poèmes, 1947, *E. I. L.*
A LA POURSUITE D'IRIS, poèmes, 1948, *E. I. L.*

IMPRIMÉ EN FRANCE PAR BRODARD ET TAUPIN
7, bd Romain-Rolland - Montrouge - Usine de La Flèche.
LIBRAIRIE GÉNÉRALE FRANÇAISE.
ISBN : 2 - 253 - 00514 - 5

Le Livre de Poche classique

Des textes intégraux.
Des éditions fidèles et sûres.
Des commentaires établis par les meilleurs spécialistes.

Pour le grand public. La lecture des grandes œuvres rendue facile grâce à des commentaires et à des notes.

Pour l'étudiant. Des livres de référence d'une conception attrayante et d'un prix accessible.

Balzac.
La Duchesse de Langeais suivi de *La Fille aux Yeux d'or*, 356/3**.
La Rabouilleuse, 543/6***.
Les Chouans, 705/1***.
Le Père Goriot, 757/2**.
Illusions perdues, 862/0****.
La Cousine Bette, 952/9***.
Le Cousin Pons, 989/1**.
Le Colonel Chabert suivi de *Ferragus, chef des Dévorants*, 1140/0**.
Eugénie Grandet, 1414/9**.
Le Lys dans la Vallée, 1461/0****.
César Birotteau, 1605/2***.
La Peau de Chagrin, 1701/9***.
Le Médecin de campagne, 1997/3***.

Barbey d'Aurevilly.
Un Prêtre marié, 2688/7**

Baudelaire.
Les Fleurs du Mal, 677/2***.
Le Spleen de Paris, 1179/8**.
Les Paradis artificiels, 1326/5**.
Ecrits sur l'Art, t. 1, 3135/8** ; t. 2, 3136/6**.

Bernardin de Saint-Pierre.
Paul et Virginie, 4166/2****.

Boccace.
Le Décaméron, 3848/6****.

Casanova.
Mémoires, t. 2, 2237/3** ; t. 3, 2244/9** ; t. 4, 2340/5** ; t. 5, 2389/2**.

Chateaubriand.
Mémoires d'Outre-Tombe, t. 1, 1327/3***** ; t. 2, 1353/9***** ; t. 3, 1356/2*****.

Descartes.
Discours de la Méthode, 2593/9**.

Dickens.
De Grandes Espérances, 420/7*****.

Diderot.
Jacques le Fataliste, 403/3**.
Le Neveu de Rameau suivi de *8 Contes et Dialogues*, 1653/2***.
La Religieuse, 2077/3**.
Les Bijoux indiscrets, 3443/6**.

Dostoïevski.
L'Eternel Mari, 353/0**.
Le Joueur, 388/6**.
Les Possédés, 695/4*****.
Les Frères Karamazov, t. 1, 825/7**** ; t. 2, 836/4****.
L'Idiot, t. 1, 941/2*** ; t. 2, 943/8***.
Crime et Châtiment, t. 1, 1289/5*** ; t. 2, 1291/1**.

Dumas (Alexandre).
Les Trois Mousquetaires, 667/3*****.
Le Comte de Monte-Cristo, t. 1, 1119/4*** ; t. 2, 1134/**** ; t. 3, 1155/8****.

Flaubert.
Madame Bovary, 713/5***.
L'Education sentimentale, 1499/0***.
Trois Contes, 1958/5*.

Fromentin.
Dominique, 1981/7**.

Gobineau.
Adélaïde suivi de *Mademoiselle Irnois*, 469/4*.

Gorki.
En gagnant mon pain, 4041/7***.

Homère.
Odyssée, 602/0***.
Iliade, 1063/4****.

Hugo.
Les Misérables, t. 1, 964/4*** ; t. 2, 966/9*** ; t. 3, 968/5***.
Les Châtiments, 1378/6****.
Les Contemplations, 1444/6****.
Notre-Dame de Paris, 1698/7****.
La Légende des Siècles, t. 2, 2330/6**.

La Bruyère.
Les Caractères, 1478/4***.

Laclos (Choderlos de).
Les Liaisons dangereuses, 354/8****.

La Fayette (Mme de).
La Princesse de Clèves, 374/6**.

La Fontaine.
Fables, 1198/8***.

Lautréamont.
Les Chants de Maldoror, 1117/8***.

Machiavel.
Le Prince, 879/4***.

Mallarmé.
Poésies, 4994/7***.

Marx et Engels.
Le Manifeste du Parti Communiste suivi de *Critique du Programme de Gotha*, 3462/6*.

Mérimée.
Colomba et Autres Nouvelles, 1217/6***.
Carmen et Autres Nouvelles, 1480/0***.

Montaigne.
Essais, t. 1, 1393/5*** ; t. 2, 1395/0*** ; t. 3, 1397/6***.
Journal de voyage en Italie, 3957/5****.

Montesquieu.
Lettres persanes, 1665/6**.

Nerval.
Aurélia suivi de *Lettres à Jenny Colon*, de *La Pandora* et de *Les Chimères*, 690/5**.
Les Filles du feu suivi de *Petits Châteaux de Bohême*, 1226/7**.

Nietzsche.
Ainsi parlait Zarathoustra, 987/5***.

Pascal.
Pensées, 823/2***.

Pétrone.
Le Satiricon, 589/9**.

Poe.
Histoires extraordinaires, 604/6***.
Nouvelles Histoires extraordinaires, 1055/0***.
Histoires grotesques et sérieuses, 2173/0**.

Prévost (Abbé).
Manon Lescaut, 460/3**.

Rabelais.
Pantagruel, 1240/8***.
Gargantua, 1589/8***.

Restif de La Bretonne.
Les Nuits révolutionnaires, 5020/0****.

Rimbaud.
Poésies, 498/3**.

Rousseau.
Les Confessions, t. 1, 1098/0*** ; t. 2, 1100/4***.
Les Rêveries du Promeneur solitaire, 1516/1**.

Sacher-Masoch.
La Vénus à la fourrure et autres nouvelles, 4201/7****.

Sade.
Les Crimes de l'amour, 3413/9**.
Justine ou les malheurs de la Vertu, 3714/0****.
La Marquise de Gange, 3959/1**.

Sand (George).
La Petite Fadette, 3550/8**.
La Mare au diable, 3551/6*.
François le Champi, 4771/9**.

Shakespeare.
Roméo et Juliette suivi de *Le Songe d'une nuit d'été*, 1066/7**.
Hamlet - Othello - Macbeth, 1265/5***.

Stendhal.
Le Rouge et le Noir, 357/1****.
La Chartreuse de Parme, 851/3****.
Lucien Leuwen, 5057/2*****.

Stevenson.
L'Ile au trésor, 756/4**.

Tchékhov.
Le Duel suivi de *Lueurs*, de *Une banale histoire* et de *La Fiancée*, 3275/2***.

Tolstoï.
Anna Karénine, t. 1, 636/8**** ; t. 2, 638/4****.
Enfance et Adolescence, 727/5**.
Guerre et Paix, t. 1, 1016/2***** ; t. 2, 1019/6****.

Tourgueniev.
Premier Amour suivi de *L'Auberge de Grand Chemin* et de *L'Antchar*, 497/5**.
Eaux printanières, 3504/5**.

Vallès (Jules).

JACQUES VINGTRAS :

1. *L'Enfant*, 1038/6***.
2. *Le Bachelier*, 1200/2***
3. *L'Insurgé*, 1244/0***

Verlaine.

Poèmes saturniens suivi de *Fêtes galantes*, 747/3*.

La Bonne Chanson suivi de *Romances sans paroles* et de *Sagesse*, 1116/0*.

Mes Prisons et autres textes autobiographiques, 3503/7***.

Villon.

Poésies complètes, 1216/8**.

Voltaire.

Candide et autres contes, 657/4****.

Zadig et autres contes, 658/2****.

XXX.

Tristan et Iseult, 1306/7**.

Lettres de la Religieuse portugaise, 5187/7**.

Thrillers

Ambler (Eric).
Le Levantin, 7404/4****.

Bar-Zohar (Michel).
La Liste, 7413/5***.

Bonnecarrère (Paul).
Ultimatum, 7403/6***.
Le Triangle d'or, 7408/5***.

Crichton (Michael).
L'Homme terminal, 7401/0***.

Dusolier (François).
L'Histoire qui arriva à Nicolas Payen il y a quelques mois, 7425/9***.

Forbes (Colin).
L'Année du singe d'or, 7422/6***.
Le Léopard, 7431/7****.

Freemantle (Brian).
Vieil ami, adieu !, 7416/8**.

Fuller (Samuel).
Mort d'un pigeon Beethoven-strasse, 7406/9**.

Goldman (William).
Marathon Man, 7419/2***.
Magic, 7423/4***.

Hailey (Arthur) et **Castle (John).**
714 appelle Vancouver, 7409/3**.

Herbert (James).
Celui qui survit, 7437/4**.

Highsmith (Patricia).
L'Amateur d'escargots, 7400/2***.
Les Deux Visages de Janvier, 7414/3***.
Mr Ripley (Plein soleil), 7420/0***.
Le Meurtrier, 7421/8***.
La Cellule de verre, 7424/2***.
Le Rat de Venise, 7426/7***.
Jeu pour les vivants, 7429/1***.
L'Inconnu du Nord-Express, 7432/5****.
Ce mal étrange, 7438/2****.
Eaux profondes, 7439/0****.
Ceux qui prennent le large, 7740/8***.

Hirschfeld (Burt).
L'Affaire Masters, 7411/9****.

Kœnig (Laird).
La Petite fille au bout du chemin, 7405/1***.
La Porte en face, 7427/5***.

Kœnig (Laird) et **Dixon (Peter L.).**
Attention, les enfants regardent, 7417/6***.

MacLeish (Roderick).
L'Homme qui n'était pas là, 7415/0***.

Markham (Nancy).
L'Argent des autres, 7436/6***.

Morrell (David).
Les Cendres de la haine, 7435/8***.

Nahum (Lucien).
Les Otages du ciel, 7410/1****.

Odier (Daniel).
L'Année du lièvre, 7430/9****.

Osborn (David).
La Chasse est ouverte, 7418/4****.

Saul (John).
Mort d'un général, 7434/1***.

Wager (Walter).
Vipère 3, 7433/3***.